D1515955

« QUE SAIS-JE ? »

LE POINT DES CONNAISSANCES ACTUELLES

N° 310

HISTOIRE

DE

L'ÉDUCATION

par

Roger GAL

Conseiller au Ministère de l'Éducation Nationale
Chef du Service de la Recherche pédagogique
à l'Institut Pédagogique National

PRESSES UNIVERSITAIRES DE FRANCE

108, BOULEVARD SAINT-GERMAIN, PARIS

—

1961

VINGT-QUATRIÈME MILLE

DÉPOT LÉGAL

1re édition .. .. .. 4e trimestre 1948
4e — .. .. .. 1er — 1961

TOUS DROITS
de traduction, de reproduction et d'adaptation
réservés pour tous pays

© 1948, *Presses Universitaires de France*

INTRODUCTION

Le problème de l'éducation intéresse de plus en plus de gens aujourd'hui. On s'aperçoit qu'il ne concerne pas seulement les pédagogues professionnels ou les parents qui ont des enfants à élever, mais au fond tout le monde. Car nous sommes tous à quelque titre éducateurs, ne serait-ce que par l'influence que nous pouvons exercer sur les êtres avec qui nous vivons ou travaillons. Et il n'est pas d'activité, professionnelle, sociale, politique, morale, qui ne relève à quelque degré de l'action éducatrice. On en étend la portée, au delà de la jeunesse, à l'âge adulte. On prend de plus en plus conscience du rôle qu'elle joue et surtout de celui qu'elle pourrait jouer dans la vie de l'individu et de la société si on le lui demandait.

En particulier, comme cela se produit après toute grande guerre et dans les périodes de crise profonde, on se penche sur elle et on l'interroge. Ah ! si elle pouvait aider à former des hommes meilleurs, capables d'éviter le retour de certaines de nos misères. Ah ! si elle pouvait amener plus de compréhension entre les peuples. Il n'est pas de service qu'on n'attende d'elle.

Aussi esquisse-t-on partout de vastes plans de réforme. Il n'est presque pas de pays qui ne possède le sien. Les partis, les associations professionnelles, les groupements de parents, prennent position à ce sujet. On discute pour et contre une éducation nouvelle mieux adaptée aux conditions modernes de la science et de la vie. Ce renouveau d'intérêt pour une question qui pouvait passer jusqu'ici pour une affaire de spécialistes, se comprend. Il correspond à un besoin dont tout nous fait sentir chaque jour davantage la force et l'importance.

Mais l'éducation n'a-t-elle pas été toujours plus ou moins nouvelle ? N'a-t-elle pas changé déjà bien des fois ? N'a-t-elle pas dû s'adapter pas à pas à l'évolution des choses humaines ? Et, comme la vie, le monde ne cessent de changer, ne devient-elle pas, après chaque changement, une chose statique, qu'il faut une fois de plus rénover ?

Certes le passé n'a d'intérêt que pour ceux qui l'interrogent et qui savent en utiliser les leçons. Mais s'il est un domaine où il peut instruire sur le présent et même sur l'avenir, c'est bien celui de l'éducation. Car il nous offre dans l'histoire de ses changements, mille expériences qu'il peut nous éviter de refaire. Voir comment nos usages en cette matière, nos traditions, nos institutions, nos pratiques sont nés, connaître les nécessités et les desseins auxquels les uns et les autres ont répondu à leur origine, les transformations qu'ils ont subies au cours des siècles, c'est la meilleure façon de comprendre ce qui est, mais aussi de saisir le sens dans lequel ils évoluent.

L'histoire de l'éducation peut être révélatrice et profitable en un sens encore plus large. Car, étant l'histoire des diverses façons dont, à travers les âges et les civilisations, on a formé l'individu à son rôle d'homme dans la société où il avait à vivre, elle constitue au fond une véritable histoire de l'homme, ou plutôt de l'idée qu'on se fit de lui à travers l'histoire. C'est un fait aussi que tout système d'éducation correspond à un régime économique, social, politique, religieux et à une situation humaine. Il est construit pour répondre aux besoins, aux idées, aux usages de l'époque. Par conséquent l'histoire de l'éducation touche à tout, à l'économie et à la technique comme à l'évolution des idées et des mœurs ; partie essentielle de l'histoire de l'humanité, elle est l'aspect le plus profond peut-être de l'histoire de la civilisation.

Nous ne voyons souvent que l'aspect terre à terre de la fonction éducatrice dans la société, le remplissage des esprits ou la préparation des examens. (En réalité l'éducation comprend toutes les influences qui peuvent s'exercer sur l'individu pendant sa vie ; elle embrasse aussi bien la formation professionnelle ou sociale que la formation intellectuelle ou morale.) En tout cas c'est en ce sens large que nous voudrions prendre le mot. Nous ne parlerons donc pas seulement de l'éducation intellectuelle ou de l'éducation secondaire qui occupent toute la place dans les livres de ce genre tels qu'on les écrivait il y a un demi-siècle, puisqu'on n'en a pas écrit en français depuis cinquante ans. Nous voudrions parler de l'éducation primaire et de l'éducation professionnelle ou technique et, malgré le petit nombre de pages dont nous disposons, brosser une image rapide des principaux systèmes d'éducation à l'étranger, afin de ne rien négliger des éléments essentiels de ce débat.

Puisse ce petit livre contribuer à donner le goût des problèmes pédagogiques à tous ceux, parents et maîtres, techniciens, éducateurs et responsables sociaux qui peuvent en sentir l'importance ! Et si le xxᵉ siècle doit être, comme on l'a dit, « le siècle de l'enfant», qu'il n'oublie pas les grandes traditions qui le portent et le poussent en avant.

Chapitre Premier

L'ÉDUCATION PRIMITIVE

On a dit « qu'il fallait attendre les origines de la civilisation proprement dite pour trouver chez les hommes une véritable éducation et, qu'en admettant qu'on pût parler d'éducation sitôt qu'il y a un groupe humain formé de parents et d'enfants, il n'y a pas d'intérêt pratique à étudier ces obscurs commencements de la pédagogie » (1). Tel n'est pas notre avis. Nous pensons au contraire que rien n'est aussi révélateur des besoins auxquels doit répondre l'éducation et de la fonction sociale qui est la sienne que ses toutes premières formes.

Il est vrai qu'en un sens l'éducation n'existe pas à proprement parler aux âges préhistoriques ou chez les peuples les plus primitifs que nous pouvons connaître. Car elle est un luxe, une conquête tardive de l'humanité dans sa longue histoire ; elle demande loisirs, prévoyance, liberté à l'égard des nécessités premières de la vie. Tant que l'homme est pris par le souci quotidien de la nourriture ou de la défense contre tous les dangers qui le menacent, tant qu'il n'a pas mis de côté assez de ressources pour écarter au moins temporairement les nécessités primordiales qui l'assaillent sans cesse, il lui est

---

(1) COMPAYRÉ dans *Histoire de la pédagogie*, p. 1.

difficile de penser au delà des activités immédiates.
Il faut une certaine indépendance à l'égard de la
matière et des besoins pour s'élever à des préoccupations qui peuvent paraître gratuites et désintéres-
sées. En ce sens l'éducation n'apparaît dans l'histoire sous la forme d'une institution spéciale que le
jour où l'homme s'est assuré une vie plus tranquille
et plus sûre.

En un autre sens l'éducation est le fait primordial
de l'humanité, celui qui caractérise peut-être le
mieux l'espèce humaine. C'est celui en tout cas qui
lui a permis de porter si loin son évolution en assu-
rant la transmission à travers les siècles de toutes les
acquisitions que chaque génération a pu faire. Et
qu'est-ce qui la représente au stade primitif ? C'est
l'imitation, ce pouvoir et ce besoin qui porte le
« petit d'homme » à faire ce qu'il voit faire pour le
faire à son tour, pour vivre en homme dès qu'il en
sera capable et que la vie le lui demandera.

Aussi peut-on dire que jamais l'éducation n'a été
plus agissante qu'en ces sociétés primitives où l'enfant, sitôt qu'il le pouvait, était mêlé aux occupations de ses parents, des adultes de son clan ou de sa
tribu. Suivant et imitant son père ou sa mère selon
qu'il était garçon ou fille, à la chasse, dans les occupations ménagères ou agricoles, associé de bonne
heure à leurs travaux dès qu'il pouvait rendre service, il apprenait sans le savoir à vivre sa vie d'homme. Et la vie, l'action, étaient sa véritable école.
Éducation toute spontanée, à peu près inconsciente,
bornée à la pratique de la vie et qui, exploitant
les tendances naturelles de l'être, se faisait déjà
par les jeux de l'enfant où l'on voit celui-ci tant de
fois imiter l'adulte, puis par sa coopération aux
travaux et occupations de ses aînés. Ainsi les jeunes
Australiens apprenaient-ils à lancer le javelot, à

manier la hache de pierre, le bouclier d'écorce, le filet, le bâton ou à grimper aux arbres. Et les filles polynésiennes suivent leurs mères et, en les regardant ou en les aidant, apprennent d'elles à préparer les écorces et à faire des nattes.

Mais en même temps la participation à la vie commune, aux sentiments collectifs, à toutes les circonstances de la vie quotidienne de l'adulte, parfois même à celles qu'on cache les plus soigneusement dans nos sociétés civilisées, suffisait à initier l'enfant aux usages, idées, coutumes, croyances et comportements de son milieu. Les droits et les interdictions, les respects à marquer et les tabous à observer, s'enseignaient ainsi par la pratique, par la participation aux traditions ou aux cérémonies collectives. L'enfant qui avait été relativement libre pendant ses premières années devenait de plus en plus dépendant au fur et à mesure qu'il s'insérait dans la société adulte, à la différence de ce qui tend à se passer dans notre monde actuel. Si l'éducation est dans son sens large l'action que mènent les adultes sur la jeune génération, on peut dire, me semble-t-il, que ce sont les sociétés primitives qui peuvent le mieux nous montrer l'ampleur et la puissance de cette action qui s'étend à tout et prépare à toute la vie. Elles nous rappellent qu'entre aussi dans son domaine l'initiation au travail, aux coutumes, aux mœurs, aux institutions. Elles nous montrent son importance pour l'individu et pour la société.

On peut appeler éducation naturelle cette sorte de dressage spontané qui n'avait même pas besoin de recourir à la contrainte, car les tendances individuelles et la nécessité sociale se chargeaient de faire accepter la fonction, où l'adulte n'intervenait qu'à titre d'exemple, où tout se faisait par jeu, par imitation ou participation à la vie collective. Le seul but poursuivi était l'adaptation étroite de l'individu à la société où il devait vivre, la personnalité ne comptant guère à ce stade de la civilisation. C'est pendant son enfance, semble-t-il, qu'il était le plus libre. Parfois même, comme en certaines tribus, on l'abandonne à lui-même, le laissant vivre à l'écart, construire son abri de branchages, mener sa vie propre, seul ou en bandes avec d'autres enfants de son âge. Mais, passé une courte enfance, il était complètement absorbé par la société adulte.

A un stade sans doute plus avancé de l'évolution humaine, nous voyons apparaître dans certaines peuplades une coutume qui vient renforcer l'action éducatrice de la vie et qui peut passer pour l'équivalent de l'éducation au sens moderne du mot, c'est-à-dire d'action spécialisée et déterminée sur la jeunesse. C'est la coutume de l'*initiation*. A un âge plus ou moins artificiellement fixé et qui varie beaucoup d'une tribu à l'autre non seulement en fonction des différences de maturité physiologique mais aussi pour des raisons extra-naturelles, on marque par des cérémonies particulières la fin de l'adolescence et l'entrée du jeune homme ou de la jeune fille dans le groupe adulte. Ces cérémonies rituelles, accompagnées de périodes plus ou moins longues d'isolement pour l'initié, d'épreuves, de danses, de déguisements, entourées de mystère et de magie, sont destinées à frapper émotivement l'individu et à marquer fortement dans son esprit le jour de son admission dans la société des hommes faits. En même temps on lui révèle complètement et définitivement les traditions et les règles du groupe où il aura à vivre, les interdictions sacrées ou tabous qu'il devra observer, les coutumes et les secrets de son clan. Selon les peuplades, la part d'information proprement dite peut varier d'im-

portance. Ainsi chez les Papous Koko une initiation
religieuse est donnée aux jeunes gens séparés en
cette circonstance du reste de la tribu. Ailleurs l'initiation est seulement le rite d'admission de l'adolescent dans la vie adulte. Et l'initiation peut
même ne pas exister. Ou plutôt elle se fait peu à peu,
par exemple en apprenant à l'enfant les légendes
ou les chants du clan et de la tribu (1).

Ces coutumes varient extrêmement d'une zone
géographique à l'autre et parfois même d'une tribu
à une autre. Il en va de même pour la considération
qu'on montre à l'égard de l'enfant. Souvent on le
sacrifie, à sa naissance surtout, avec une extrême
facilité, pour peu qu'il soit infirme ou maladif. Et
cela se retrouvera jusque dans des civilisations avan-
cées comme celle de la Grèce antique. Ailleurs on a
beaucoup d'attachement et d'attentions pour lui ;
on le choie, on l'aime, on le laisse en toute liberté ;
les Kaffirs de l'Afrique du Sud ne lui demandent
rien jusqu'à la puberté ; mais les Omahas lui impo-
sent, dès qu'il en est capable, une responsabilité
dans la société. A Bali les enfants jusqu'à cinq ou
six ans sont choyés et parés ; puis on les envoie
garder les vaches ; on ne s'occupe plus d'eux ; ils
font ce qui leur plaît et deviennent très sales.

Chez certains peuples les enfants sont tenus sévè-
rement et durement punis ; d'autres, comme les
Indiens Zugni réprouvent les punitions corporelles.
C'est tantôt la mère, et quelquefois le père, comme
chez les Indiens Omahas qui s'occupent des enfants ;
ailleurs ce sont les grands-parents qui en ont la
charge.

L'initiation sexuelle se fait dans certains cas par
le spectacle même de la vie ; d'autres fois une réserve

(1) Voir les œuvres de l'ethnologue Margaret MEAD.

naturelle y apporte plus de discrétion ; ou bien
l'initiation a lieu à un âge fixé et le jeune homme,
après l'avoir reçue, se forcera à avoir des rendez-vous
conformément à l'usage, même si physiquement il
n'est pas porté à l'amour, tant il est difficile de dire,
même à l'origine, ce qui est vraiment dans la nature
humaine et ce qui est inspiré par la vie sociale.

Cependant il ne faut pas oublier que les sociétés
primitives actuelles représentent certainement des
sociétés déjà longuement évoluées. Il a fallu de longs
millénaires pour arriver au stade du sauvage d'aujourd'hui, des luttes très longues et très dures contre
la nature, la faim, le froid, la menace des animaux ou
des autres hommes, la mort sous toutes ses formes.
Il a fallu maints progrès matériels comme l'invention
du feu ou des outils qui prolongèrent la main de
l'homme et décuplèrent sa puissance et sa sécurité.

Elles nous donnent pourtant une image des
groupes sociaux où aucune institution spécialisée
n'était désignée pour la formation des jeunes. Celle-ci
s'y faisait partout et elle s'y faisait pleinement
sur le plan matériel et sur le plan moral ; c'est en
participant aux travaux de l'adulte que l'enfant s'y
initiait, comme c'est en participant aux coutumes et
cérémonies de son milieu qu'il en prenait les mœurs.
Toujours la tradition dans ces sociétés est absorbée
d'une manière ou de l'autre par l'enfant. L'individu
est conformé étroitement au type de vie et au com-
portement social qui est celui du groupe où il est né.
On ne conçoit pas pour lui d'échappatoire. L'éducation est alors comme une sorte de parfait dressage
aux formes sans doute variées mais toujours propres
à asservir l'enfant au milieu où il vit. Et c'est à
une société close, très limitée, absolument fermée
sur elle-même — clan, tribu, peuplade — qu'il est
adapté. Le monde même n'existe pour la mentalité

primitive qu'en fonction de ce groupe. Le reste de l'univers est regardé comme indifférent, hostile ou d'une autre espèce. Le sociomorphisme règne à ce stade.

Ce n'est qu'après une longue évolution que, la sécurité étant un peu mieux assurée et la spécialisation des fonctions sociales s'introduisant peu à peu, l'éducation prendra une allure spécialisée elle aussi. Ce ne sera évidemment d'abord que sur le plan du travail matériel, c'est-à-dire de l'activité professionnelle : on verra comme dans les Samoa, l'art de construire les maisons confié à un groupe d'artisans spécialisés ; du même coup l'apprentissage auprès de ces artisans sera rendu nécessaire et exigé si l'on veut devenir maçon.

Il ne faut pas oublier cette lente accession de l'humanité à la civilisation et au luxe de l'éducation pour bien apercevoir le sens de son évolution jusqu'à nos jours. C'est l'outil (en comprenant parmi les outils le langage qui permettra les échanges et la solidarité) et plus tard la machine qui libéreront l'homme de l'oppression excessive des besoins et qui favoriseront les loisirs, la culture et toutes les activités en apparence plus gratuites, en réalité plus fécondes, pour l'avenir de l'humanité. La première éducation a été surtout pratique ; elle a été réduite à des groupes isolés et clos. En revanche elle était peut-être plus pleine et plus large que l'éducation d'aujourd'hui dont nous ne voyons guère que l'aspect scolaire et étriqué.

CHAPITRE II

L'ÉDUCATION DANS L'ANTIQUITÉ

Après de longs siècles d'efforts et de tâtonnements, la civilisation apparaît brusquement, sous une forme déjà fort évoluée, au IVe millénaire avant J.-C. dans les trois bassins du Nil, de l'Euphrate et de l'Indus. A ce moment, dans ces régions privilégiées du monde, l'homme connaît déjà l'agriculture, la vie urbaine, le commerce, la navigation et l'écriture. Et nous sommes en présence de véritables systèmes d'éducation où la fonction éducatrice est nettement spécialisée et consciemment organisée. Un peu plus tard ce sera le tour de la Chine dans la vallée du Hoang-Ho à voir naître une civilisation réelle et les formes d'éducation qui la conditionnent.

La caractéristique de ces éducations antiques, c'est qu'après avoir été longuement élaborées et bien que leur histoire couvre plusieurs millénaires, elles ont conservé longtemps le type auquel elles avaient abouti ; pour l'Inde et pour la Chine, ce type s'est même conservé presque jusqu'à nos jours. De plus, elles ont inventé un bon nombre des procédés éducatifs que nous trouverons à travers toute l'histoire. De là l'intérêt que nous avons à les connaître.

L'éducation dans l'ancienne Egypte. — Lorsque les Egyptiens, après avoir passé par le stade de la vie nomade, se fixèrent dans la vallée du Nil, leur stabilisation donna naissance à des villages, à une organisation sociale à classes très nettement marquées et à toute une civilisation de type agricole et sédentaire. En haut il y avait les prêtres, riches, influents, détenteu·s de la science ; au-dessous les soldats et enfin les producteurs rivés à la terre ou à leur métier, soumis à la bastonnade et à la dîme. Un gouvernement, le plus souvent très dépendant du contrôle des prêtres malgré ses luttes pour assurer son indépendance, créa, avec l'unification, un système d'organisation bureaucratique fort développé, dont les scribes, seuls individus instruits en dehors des prêtres, assuraient le fonctionnement. Car l'éducation n'a pas pu commencer par étendre ses bienfaits à tout le monde. Chez les Egyptiens, le scribe était ce privilégié dont la situation était recommandée par un vieux texte qui, après avoir examiné toutes les conditions d'agriculteur, d'artisan, de guerrier, concluait : « J'ai vu la violence, partout la violence. C'est pourquoi donne ton cœur aux lettres... Celui qui s'est mis à en tirer profit dès son enfance, celui-là est honoré. » Les scribes en effet entraient dans l'administration et passaient au service du pharaon ou des prêtres. Avec un peu de chance ils pouvaient arriver aux plus hautes fonctions. Aussi était-ce le seul moyen pour l'individu de s'élever dans l'ordre social.

Pour le reste l'hérédité dans les fonctions sociales et dans les métiers déterminait la place et l'éducation de chacun ; le fils de l'agriculteur était agriculteur et celui de l'artisan artisan. N'a-t-on pas vu sur un arbre généalogique jusqu'à vingt-cinq générations d'architectes ? Les artisans ne pouvaient pas plus quitter leurs ateliers que les paysans ne pouvaient abandonner leur terre. Seule l'armée pouvait recruter au dehors ; encore les avantages attachés au métier militaire faisaient-ils que les fils de soldats suivaient la carrière de leurs pères. C'est ce peuple qui a su exploiter sa vallée fertilisée par les crues régulières du Nil, concevoir des créations artistiques à la fois grandioses et exquises dans le domaine de l'architecture comme dans celui de la peinture, de la décoration, de la joaillerie ou du tissage ; doué d'un esprit religieux très développé qui le conduisait à la foi dans une vie future pour « le double » et pour le corps momifié, il fit montre d'une capacité d'invention morale étonnante dont profitèrent plus tard les Grecs ; il parvint à une considération assez élevée pour la femme et surtout pour la mère, traitée avec douceur mais subordonnée à l'homme. Dans le domaine technique ses multiples réalisations prouvent qu'il avait dû arriver à un savoir-faire et à une connaissance de procédés mécaniques déjà assez avancés. Enfin il avait inventé l'écriture, cet autre outil merveilleux de la civilisation. Simple pictographie à l'origine ou représentation par le dessin des objets naturels, puis idéographisme ou représentation des idées par le dessin, l'écriture égyptienne en était arrivée à peu près au phonétisme, c'est-à-dire à la représentation des sons syllabiques. Tels sont les stades que nous ont présentés les célèbres hiéroglyphes déchiffrés grâce à l'habileté de l'égyptologue français, Champollion, au XIXe siècle.

Dans un ordre social aussi rigide, l'éducation ne pouvait être que de deux types : elle était essentiellement pratique et professionnelle, familiale ou corporative, pour les gens du peuple et elle se bornait dans ce cas à conduire à un métier. Il s'y ajouta à certaines époques et dans certaines conditions une éducation intellectuelle élémentaire qui se limitait à la lecture, à l'écriture, au calcul simple et à la

géométrie pratique exigée par la vie et en particulier par la fixation des limites des propriétés
recouverte après chaque inondation par les limons
du Nil.

La haute éducation, la seule qui méritât un peu
ce nom, était réservée aux prêtres, aux architectes,
aux médecins et enfin aux scribes dont nous
avons dit l'importance sociale. Elle était toute
entre les mains des prêtres, détenteurs de la science
profane du temps comme des idées religieuses. Elle
portait sur la religion, les lois et les connaissances
d'astronomie, de mathématiques, de mécanique ou
de médecine que l'on pouvait considérer comme
acquises et utiles à transmettre à cette époque. Ce
lien étroit de la science et de la religion, ce privilège
de la culture, dureront jusqu'à l'époque moderne.
On verra le bénéfice de l'éducation s'étendre peu à
peu, et les sciences se dégager de l'emprise religieuse
les unes après les autres au fur et à mesure qu'elles
assureront leurs méthodes et conquerront leur indépendance dans leur domaine.

A l'origine l'éducation est une et, si l'on peut dire,
totalitaire. Elle est en même temps étroitement
dépendante de l'organisation économique, sociale
et politique comme elle l'est à l'égard de la religion
du pays où elle se donne. Quant à ses méthodes,
elles correspondent exactement à l'esprit et aux fins
sociales ou morales de l'époque : la mémoire et
l'imitation sont les facultés les plus habituellement
exercées ; parfois on innove en faisant apprendre les
nombres par manière de jeu. La discipline rigide
admet normalement la punition corporelle : l'adulte
n'aura-t-il pas lui-même à supporter la bastonnade ?
On ne songe pas à faire une place quelconque à
l'individualité. Bien adapter et conformer chacun
au monde où il aura à vivre sans qu'il se pose

d'inutiles problèmes ou qu'il en pose aux autres, n'est-ce pas la seule finalité sociale que l'éducation saura observer ?

L'éducation dans l'Inde ancienne. — L'Inde ancienne nous offre, mieux encore que l'Egypte, un type d'éducation totalement asservi à un système social et destiné uniquement à le perpétuer. Certes toute organisation éducatrice dépend largement du régime de civilisation dans lequel elle s'insère ; mais son rôle peut être plus ou moins actif et créateur ; elle peut donner plus ou moins de possibilités à l'individu et servir plus ou moins le progrès ; dans les premières civilisations humaines cette dépendance est absolue et l'idéal commun aussi statique qu'il est possible. Nous constaterons aussi ce fait en Chine. Peut-être était-il nécessaire pour assurer la cohésion et la solidarité des groupes comme des générations à l'origine.

Le système hindou d'éducation repose tout entier sur la distinction des *castes* introduite par les Aryens lorsqu'ils envahirent la vallée du Gange et imposèrent aux populations autochtones leur domination ; ils en composèrent l'aristocratie soit religieuse, soit guerrière ; puis les commerçants, par suite de la nécessité économique, y acquièrent quelque considération. Et l'on eut ainsi la caste théocratique des *brahmanes* ; au-dessous d'eux celle des guerriers ; plus bas celle des marchands ; bien au-dessous enfin, la caste des esclaves, les *soudras* ou *parias*, exclus de tous droits, prédestinés au service des classes supérieures. Car chacun naît dans sa case sociale et personne ne peut en sortir ; on ajoute même une justification métaphysique à l'état de fait social, en disant que le soudra naît soudra pour expier des fautes commises dans une existence antérieure et que par conséquent il ne peut rache-

ter cette malédiction qu'en servant humblement
les castes supérieures.

Cette religion constituée par un mélange des
croyances des Dravidiens dont la civilisation s'était
épanouie dans l'Inde du IVe au IIe millénaire avant
J.-C. et des idées aryennes, formulée entre 1000 et
700 av. J.-C. dans les recueils sacrés du *Véda*,
transformée par maintes tendances comme celle du
djaïnisme et aboutissant à la doctrine de passivité
totale du *Bouddha Çakiamuni* (560-483) renforçait
ces tendances. La haute inspiration du brahmanisme
initial basée sur une conception idéaliste et pan-
théiste du monde et sur l'identification de l'esprit
au bien et de la nature au mal, contribua à faire
mépriser la vie terrestre et les choses sensibles
comme le vêtement éphémère et trompeur de l'être
invisible. Elle fit rechercher le bien suprême dans
le *nirvana*, c'est-à-dire dans le complet détachement
des choses de ce monde et dans un ascétisme extrême. Cette annihilation de soi conduisant à une
vie de pure contemplation est sans doute un des
processus les plus efficaces pour arriver à la maîtrise
de soi et à la domination des misères humaines. La
réforme bouddhique du VIe siècle av. J.-C. ne changera pas cet idéal, mais proposera des qualités
morales comme la pratique de la bonté, de l'indul-
gence, de la modestie et la fameuse non-résistance
au mal que nous retrouvons dans certaines paroles
du Christ et plus près de nous dans l'action d'un
Gandhi. Il prélude à l'amour et à la fraternité
humaine, première manifestation religieuse d'un
sentiment qui ne fera que croître jusqu'à nos jours
sans arriver à passer vraiment dans les faits. Si
l'on ajoute à ces influences métaphysiques l'effet
d'un climat chaud et débilitant, d'une nature riche
de biens et prodigue, de mœurs qui font la femme

esclave de l'homme, on comprendra aisément l'organisation et l'esprit du système éducatif hindou.

L'individu naît prisonnier de castes ou de groupes
sociaux à fonctions héréditaires. Son éducation dépendra donc de sa condition sociale ; s'il est soudra,
il n'a droit à aucune formation. Seuls les prêtres ou
les futurs brahmanes ont droit à toute l'éducation
supérieure qu'ils possèdent et transmettent dans les
écoles brahmaniques de maître à disciple, d'initia-
teur à initié. Ce sera là le procédé de bien des écoles
philosophiques dans toutes les civilisations, par attachement à un maître, contact direct de personne à
personne, imitation et vénération d'un modèle par
un disciple prêt à recevoir toute inspiration et toute
influence pour diriger sa propre pensée et sa vie.

Les autres classes peuvent accéder en partie à
cette formation mais elles se contentent en général
d'une instruction élémentaire qui se donne en plein
air ou dans des abris rudimentaires ; celle-ci comprend des éléments de lecture, écriture, calcul et
surtout la transmission des croyances, rites religieux,
traditions, fables, paraboles qui composent le fonds
commun de la race. Quant à l'éducation professionnelle et pratique elle ne peut être que familiale ou
corporative ; elle est donnée forcément à l'intérieur
du groupe même où l'individu est né et grandit. Aucune instruction n'est prévue pour les filles.

La haute éducation réservée aux brahmanes
demande douze années d'études pour être complète.
Elle est surtout religieuse et vise à donner les vertus
qui font l'homme religieux et pur, détaché, maître
de lui et bon ; basée sur les œuvres religieuses
(Védas) elle est l'action lente et profonde d'un
maître directeur d'âme qui impose d'abord le respect et l'obéissance par des rites extérieurs ou des
observances minutieuses et qui pratique l'ascétisme.

N'est-il pas le père spirituel de l'enfant, celui qui, lui donne la seconde naissance, toute spirituelle ? Aussi l'élève doit-il en être le serviteur dévoué et obéissant.

Mais il ne faudrait pas croire que cet enseignement s'en tienne là. Ne doit-il pas d'abord donner la connaissance des ouvrages sacrés et par conséquent de la grammaire, de la poésie, de la philosophie, des lois ? La langue savante, le sanscrit, disposant d'un alphabet de cinquante lettres et de flexions, mais non de signes de ponctuation, est une langue difficile, un idiome de caste et bientôt une langue morte qui sert cette culture ésotérique, réservée. Il faut beaucoup de temps pour l'apprendre. Mais on apprend aussi la médecine, l'astronomie et les mathématiques, domaine dans lequel on sait que nous devons beaucoup à l'Inde qui a été, avec la Grèce, l'institutrice des Arabes, instituteurs eux-mêmes du monde occidental au moyen-âge.

Les méthodes sont celles qui conviennent à l'idéal poursuivi. En premier lieu la mémoire est cultivée ; être sage c'est connaître les enseignements des sages et des hommes religieux ; on répète donc par cœur les choses à apprendre. La discipline est relativement douce, en raison du but spirituel à atteindre ; la contrainte, la force, ne forment pas vraiment. Les maîtres tenus en grand respect vivent des cadeaux volontaires des élèves. Par contre on ne se soucie pas du tout d'éducation physique, le corps étant tenu en si piètre estime. Signalons dans l'enseignement collectif élémentaire l'invention du système des moniteurs, c'est-à-dire d'enfants plus âgés ou plus avancés auxquels on confiait le soin de diriger partiellement leurs camarades. C'est là que le Dr Bell le découvrit vers 1790 pour le transporter en Angleterre.

Tel est ce système rigide qui, malgré l'influence

momentanée du bouddhisme, malgré l'invasion islamique, maintint jusqu'à l'époque moderne ses caractéristiques essentielles : il n'éveillait pas de sympathie entre les classes, il cultivait surtout chez l'individu les qualités passives et ne se souciait aucunement de développer les capacités d'action créatrice ou le sens de la responsabilité ; par contre il développait chez certains, à l'exclusion des autres, les qualités contemplatives portées à un haut degré. Par tous ces traits il tournait le dos à ce qui sera l'idéal occidental, créateur, inventeur et technicien.

Encore à l'arrivée des Européens on trouvera des collèges sanscrits ou des collèges musulmans, à côté d'écoles élémentaires pour les enfants de commerçants et de propriétaires aisés. Mais malgré les efforts des Anglais il n'y avait encore en 1871 que cinq cent mille enfants dans les écoles primaires pour une population presque aussi nombreuse que celle de l'Europe.

L'éducation en Perse. — Nous ne dirons quelques mots de l'Empire perse qui s'est créé au VIe siècle av. J.-C. sur les ruines des royaumes assyriens et chaldéens que pour signaler un type nouveau d'éducation purement aristocratique, guerrière et morale. L'éducation perse présente ces trois caractères à un haut degré de perfection, si nous en croyons l'écrivain grec XÉNOPHON qui en parle avec beaucoup d'admiration dans la *Cyropédie*. Education toute étatique qui prenait l'enfant à la famille à l'âge de sept ans pour l'élever dans des maisons communes sous la surveillance d'éducateurs élus. Education d'abord physique et militaire : on apprend à l'enfant perse à tirer de l'arc et à lancer le javelot ; on l'endurcit à la fatigue, à la faim, à la soif ; on l'entraîne à la chasse, au maniement des chevaux ; on le prépare à son métier de soldat. Education morale enfin

qui vise à former puissamment le caractère par la
pratique et par l'exemple et à enseigner la justice
et la vérité. Doit-elle cette qualité à l'inspiration
morale de la religion enseignée par Zoroastre qui
reposait sur la lutte des deux principes du bien et
du mal et qui devait exercer une si grande influence
sur la pensée humaine ? Ou le devait-elle simplement à l'évolution de ce peuple chez qui le sens de
l'intérêt public et les besoins de la lutte fortifièrent
les valeurs morales ? En tout cas les jeunes Perses,
sous la direction de gouverneurs qui jugeaient constamment leurs différends ou les entraînaient à les
juger eux-mêmes, apprenaient la droiture, la saga-
cité, la soumission au bien général, l'honneur, la
franchise. Mais ce n'était là, il ne faut pas l'oublier
malgré l'enthousiasme de Xénophon, qu'une éducation pour la noblesse et non pour les esclaves ou les
foules conquises par la guerre. De plus, il y avait
fort peu de place pour la culture intellectuelle et
rien pour les femmes. Cette éducation pour la guerre
d'un peuple pauvre et courageux ne devait d'ailleurs
pas survivre longtemps à la conquête de l'Empire
perse par Alexandre.

L'éducation chinoise. — A peu près dans le même
temps que l'Inde, l'Empire chinois qui s'était développé dans les plaines du Fleuve Bleu et du Fleuve
Jaune, se donnait un type d'éducation qui devait
durer presque jusqu'à nos jours. Ce phénomène
singulier de permanence d'un système éducatif s'explique par son inspiration même, par le rôle excessif qu'y jouait la tradition, une tradition mal
entendue.

Tradition lentement élaborée sans doute depuis
le IIIe millénaire qui avait vu apparaître les premiers éléments de la civilisation chinoise jusqu'au
VIe siècle av. J.-C. où elle se fixe sous l'influence de

deux grands philosophes, Lao-Tsé et Confucius.
Parallèlement une crise sociale, qui amène la des-
truction du pouvoir des seigneurs et une certaine
émancipation du peuple, favorise l'effort d'éducation remarquable entrepris dans cet empire replié sur
lui-même, pacifique et satisfait. C'est Lao-Tsé qui
s'élève contre « les mauvais souverains qui laissent
vides le cœur et l'esprit de l'homme et qui s'effor-
cent de laisser le peuple dans l'ignorance, car alors
il ne demande pas beaucoup, ou sous prétexte qu'il
est difficile de gouverner un peuple qui sait trop ».
« Ces doctrines, dit-il, sont directement opposées à
ce que l'on doit à l'humanité. » Et c'est Confucius
surtout qui, enseignant une morale active, oppor-
tuniste, mais fondée sur la recherche du bonheur
général du peuple, dotera la Chine d'une morale
qui restera le fondement de l'ordre social.

Le respect profond de la famille et de l'Etat, celui
des idées traditionnelles et des coutumes, le formalisme et le culte des morts, inspirent l'action de tous
les éducateurs de l'enfant dans la famille et à l'école.
Il s'agit d'abord d'un dressage de l'individu aux
usages, rites, mœurs et sentiments qui doivent être
ceux de tout homme : soumission à l'autorité absolue du père de famille, soumission totale de la femme
envers l'homme : mariée sans avoir connu son futur
époux, parfois même vendue à cause des dures conditions de la vie économique, celle-ci est entièrement dépendante toute sa vie ; elle n'échappe à
l'autorité de l'un que pour retomber sous l'autorité
de l'autre. De la même façon on habitue l'enfant à
l'exquise politesse chinoise dont le raffinement est
bien connu : la morale traditionnelle ne définit-elle
pas avec la plus grande précision les cinq rapports
humains de roi à ministre, de père à fils, de frère à
frère, d'ami à ami, de mari à femme ? Et ces rap-

ports n'englobent-ils pas toute la conduite humaine dans la vie ? S'y conformer, c'est la sagesse et c'est le bien.

A dix ans on envoie le petit Chinois à l'école. Celle-ci est ouverte à tout le monde, mais fatalement dans un si vaste peuple une partie seulement est vraiment éduquée. Les lettrés ou *mandarins* forment la classe instruite et aussi la classe des fonctionnaires, car c'est parmi les lettrés qu'on recrutait ces derniers. Aussi le jeune Chinois qui en a les moyens aspire-t-il à devenir lettré.

Un système fort complexe d'examens et de grades conduisait l'étudiant privilégié des examens élémentaires passés au chef-lieu de district à ceux du comté, puis à ceux de la province, puis à celui de Pékin, enfin à l'examen final qui conférait l'admission à l'Académie Impériale (1). Car le chemin est long à travers tous les degrés du *mandarinat*. Il y a d'abord à connaître la difficile langue chinoise qui en est restée à la phase monosyllabique de l'écriture : ce sont les quatre cents radicaux indéclinables auxquels l'accent, la composition et la place dans la phrase vont donner une infinité de sens et qu'il faut apprendre à dessiner au pinceau et à articuler. Puis il convient de connaître par cœur — car il ne peut s'agir que d'imiter et de conserver pieusement l'intégrité des textes comme celle de la langue — les quatre livres et les cinq classiques. Si on les possède bien, dit un proverbe, on est sûr d'être premier aux examens officiels. Ainsi on apprend les nombres et leur génération, les trois grands pouvoirs, les quatre

(1) Si le procédé des examens et de la sélection garantit une culture, le jeune Chinois possédait certainement la plus haute culture. Car aucun élève ne put être plus examiné et contrôlé avec tous les raffinements (isolement des candidats, des examinateurs) que l'esprit a jamais inventés.

saisons, les six espèces de céréales, les six classes d'animaux domestiques, les sept passions dominantes, les neuf degrés de parenté, les dix devoirs relatifs, la succession des dynasties, etc. Toute une rhétorique de notions générales, d'imitation du style et de la pensée des livres sacrés, de commentaires, supporte les exercices. L'imitation exacte, sans originalité est toujours recherchée. On apprend de mémoire ; on répète à voix haute en commun, on récite individuellement. Le principe d'autorité, le formalisme, la culture de la mémoire sont le fondement de cette éducation entièrement verbale et livresque. On vénère par-dessus tout les livres ; on méprise toute autre activité. Tous les métiers sont bas et vulgaires ; seule l'étude des livres est noble et élevée, dit un autre proverbe.

Une telle éducation, dédaignant les qualités d'originalité, d'initiative, de liberté, de solidarité et d'invention, ne pouvait développer qu'une société statique. Elle explique sans doute grandement l'immobilisme étonnant de cette civilisation qui, arrivée à un haut degré de perfection pour l'époque, s'est figée et s'est trouvée dépassée par les civilisations occidentales plus entreprenantes et plus créatrices. Elle nous révèle dans sa perfection la menace qui pèse sur toute éducation trop uniquement tournée vers le passé, trop poussée à copier et à reproduire au lieu de transmettre la véritable force de la tradition qui fut sa force de création, celle qui permit au passé de réaliser ce qu'il créa de grand et de beau.

Chapitre III

L'ÉDUCATION
DANS LES CIVILISATIONS ANTIQUES
ANCÊTRES DU MONDE OCCIDENTAL

La civilisation occidentale qui sera celle de l'Europe et qui tendra ensuite sous certains de ses aspects à s'étendre au monde, est issue de deux courants principaux : le courant judéo-chrétien et le courant gréco-romain ; l'éducation elle-même sera profondément marquée par ces deux influences.

I. — L'éducation chez les Hébreux

Le peuple israélite a montré plus que d'autres la puissance de l'éducation. C'est elle en grande partie qui lui a permis d'assurer sa permanence au sein de mille traverses jusqu'à nos jours. La Bible qui l'inspire est pleine de conseils relatifs à l'éducation. Les sentiments de justice qui animent les prophètes juifs, l'universalisme latent qui éclatera avec le christianisme inspireront non seulement les littératures, les arts de bien des nations, mais aussi des philosophies, des idéaux laïques et triompheront, après les transformations diverses jusque dans certains principes de la Révolution française.

Cette éducation d'un peuple religieux par excellence, théocratique et monothéiste, ne pouvait qu'ê-

tre essentiellement morale et religieuse. Elle était
l'œuvre d'abord de la famille et elle était toute
orientée vers la connaissance de la vérité et de la loi
divines. Dès que l'enfant savait parler, sa mère lui
en apprenait des passages ; c'est sur le texte sacré
qu'il apprenait à lire ; ensuite il le méditait et il
étudiait la tradition ; la discipline était rude et
n'épargnait pas les châtiments corporels : « Qui
épargne les verges, hait son fils, disent les Proverbes ;
qui l'aime, le châtie. » L'enfant apprenait ainsi l'histoire du peuple élu de Dieu ; on essayait de toutes
les manières, par les cérémonies comme par les
leçons morales, de le vouer à cette fidélité à son
Dieu soigneusement distingué des dieux multiples
des autres nations. La haute instruction était donnée par les prêtres et les scribes dans les écoles des
prophètes. Les enfants des familles pauvres de bonne
heure aidaient leur père dans les travaux agricoles
et le soin des troupeaux ; quelques-uns apprenaient
des métiers et leur nombre augmenta avec le développement des arts. Les filles, sous la direction de
leur mère, se livraient aux occupations ménagères
et apprenaient le tissage, la confection des vêtements, la préparation des aliments. Outre la lecture
et l'écriture, la musique et la danse avaient leur
place dans cette éducation qui visait surtout à donner une formation religieuse.

Après l'exil seulement et la captivité de Babylone,
des écoles élémentaires furent organisées auprès des
synagogues ou dans les maisons des scribes. Les
rabbins, conscients de l'importance de l'éducation,
ne craignent pas de dire : « Périsse le sanctuaire, mais
que les enfants aillent à l'école. » Et le *Talmud* de
Babylone affirme : « L'haleine des enfants qui fré-
quentent les écoles est le plus ferme soutien de la
société. La science est au-dessus des sacrifices. »

Fait digne de remarque, on en vint en l'an 64 de notre ère, à l'idée d'une scolarité pour tous les enfants juifs ; des écoles pour garçons de six à sept ans durent être créées dans toutes les villes. Et le *Talmud* fixait cette règle que nous voudrions bien voir appliquée de nos jours : « Si le nombre des enfants ne dépasse pas vingt-cinq, l'école sera dirigée par un seul maître ; à partir de vingt-cinq, la ville payera un adjoint ; au-dessus de quarante, il faudra deux directeurs. » L'éducation se développa d'ailleurs aussi pour les filles. Elle porta sur des sujets plus vastes comme les mathématiques, l'astronomie, la littérature, la géographie, à son degré supérieur tout au moins. Enfin elle devint plus douce et fut mieux adaptée aux possibilités de l'enfant.

Elle est en principe gratuite ; mais les maîtres des classes élémentaires souvent reçoivent des cadeaux ou un traitement ; ou bien ils exercent pour vivre un autre métier à côté de leur métier d'éducateur. Ils doivent être capables et mariés, d'un certain âge de préférence. Ils sont hautement estimés ; le *Talmud* veut même que le disciple les place au-dessus de leur père « qui ne leur a donné que la vie de ce monde, tandis que celui-là leur procure la vie du monde à venir ».

A travers la Bible et le christianisme, cette inspiration religieuse se fera sentir dans bien des pays ; l'exclusivisme national qui assura le continuité de la race hébraïque se mua en un messianisme universel qui se fondit d'une manière plus ou moins heureuse avec l'apport gréco-romain, l'autre pilier de la civilisation occidentale qu'il nous faut maintenant examiner.

II. — L'éducation grecque

Nous devons à la Grèce ancienne, et singulièrement à Athènes, non seulement la source de notre inspiration littéraire, artistique, philosophique et la science qui est née là sous sa forme théorique, mais aussi la forme d'éducation supérieure qui laissera sa trace jusque dans la culture dite secondaire ou classique. On a appelé avec juste raison « miracle grec » cette éclosion de l'art, de la pensée, de la science et même de la politique sur cette bande de terre à cheval sur la mer Egée, en Eolide vers le Xe siècle av. J.-C., puis en Ionie entre le Xe et le VIIe siècles, et enfin en Grèce proprement dite entre le VIe et le IVe siècles. Mais en fait, c'est Athènes qui sera l'héritière et l'âme de cette civilisation. Sparte ne nous a laissé qu'un bel exemple d'une civilisation militaire. C'est ailleurs que sont nées les conceptions nouvelles de l'art et de la pensée ; nous en avons hérité à travers Rome et les mots même d'architecture, sculpture, poésie, philosophie, mathématiques, démocratie sont grecs d'origine, tant ce peuple y a mis sa marque. Certes la Grèce doit beaucoup à l'Orient et en particulier à l'Egypte. Mais si la géométrie pratique est née sur les bords du Nil, la science n'a pris qu'en Grèce sa forme désintéressée et systématique. Cette jeunesse créatrice est bien le trait propre de l'âme grecque. Comme le dit un personnage de Platon : « Vous autres Grecs, vous êtes toujours des enfants : un Grec n'est jamais vieux. Tous par l'âme vous êtes jeunes : car en elle vous n'avez nulle opinion ancienne transmise par une vieille tradition, nul savoir blanchi par le temps. »

Quant à l'éducation, elle a revêtu bien des formes à travers l'histoire de la Grèce antique et à travers la diversité des tribus qui composaient le monde grec : plus imaginative, artistique, littéraire et scientifique chez les Ioniens, elle est plus pratique, plus militaire chez les Doriens. Elle a aussi fort va-

rié de l'époque homérique où elle est encore très
proche de l'éducation primitive et où elle se soucie
de former l'homme d'action et le sage, prudent et
tempérant, jusqu'à l'époque alexandrine où elle
deviendra formelle et érudite.

L'éducation à Sparte. — Pour ne prendre qu'un
exemple, quelle différence entre l'éducation spartiate et l'humanisme athénien si riche et si profondément humain ! Ce peuple de soldats, envahisseurs
doriens installés en un domaine ennemi, ne pouvait
vivre que sur un perpétuel qui-vive au milieu de
cent mille hilotes, paysans asservis, et de deux cent
cinquante mille périèques, Messéniens, représentant
la population primitive dépourvue de tout droit politique qu'avaient vaincue les vingt-cinq mille Spartia-
tes. Constamment menacée d'être submergée par ses
propres sujets, l'aristocratie conquérante, terrienne
et militaire, s'était refusée à toute activité autre que
celle des armes. Et c'est pourquoi dans la commu-
nauté de soldats qu'elle avait constituée, l'éducation ne pouvait être que sportive, militaire et civique. Elle visait à faire des soldats courageux, forts,
obéissants à la loi, dévoués à la patrie. Sur le plan
moral elle s'occupait surtout de la formation du
caractère et du citoyen.

De sept à vingt ans le jeune homme est entraîné,
dans les camps de jeunesse, sous la direction de
maîtres désignés par l'Etat, à la gymnastique, à la
chasse, aux exercices militaires ; il est soumis à un
régime de vie sobre et frugal, à une discipline rigou-
reuse où les coups et la souffrance ont une valeur
d'endurcissement. Les marches forcées, les priva-
tions, la nourriture frugale, l'invitation à se pro-
curer les aliments même par le vol, l'entraînement
à supporter les coups, la vie en commun, devaient
former ces citoyens rompus à la discipline dont la

valeur militaire restera célèbre à travers l'histoire. En dehors de cela, peu de formation intellectuelle ; l'esprit est sacrifié au corps ; seule la musique religieuse ou guerrière est autorisée parmi les arts, parce qu'elle renforce l'éducation patriotique. Les poèmes d'Homère, quelques chants guerriers, c'est tout ce que le Spartiate connaîtra de l'art.

Dans cette perspective l'individu ne compte pas ou il ne compte qu'en vue du groupe. Les seules valeurs considérées sont les valeurs collectives ; la toute-puissance de l'Etat s'affirme sur l'enfant comme sur l'homme fait. Dès sa naissance l'enfant relève de l'Etat ; c'est le conseil des anciens qui décide s'il peut vivre ou s'il doit mourir : comme la cité ne doit pas compter de citoyens infirmes ou débiles, elle condamne les nouveau-nés faibles ou mal conformés à être abandonnés et exposés sur les flancs du mont Taygète ; de même si l'individu risque de n'avoir pas les moyens de vivre, le lot patrimonial de terres restant indivisible, il est déchu de sa citoyenneté et rejeté au rang des périèques.

La même raison étatique a conduit Sparte à s'occuper de l'éducation des filles ; c'est qu'il fallait en faire des êtres aussi vigoureux et aussi soumis à l'intérêt commun que les hommes. Aussi leur éducation est-elle tout à fait semblable à celle des garçons. Elles prennent part aux mêmes exercices et apprennent comme eux à chanter, danser, lutter, lancer le javelot. Elles doivent devenir des femmes robustes, capables d'avoir des fils sains et forts et de préférer la patrie à leurs enfants ou à leurs maris.

A dix-huit ans les jeunes gens deviennent « aspirants » ; ils s'exercent à la pratique barbare de la *Kruptie* qui consiste à surprendre et à tuer les hilotes. A vingt ans ils entrent dans l'armée, mais leur formation se continue jusqu'à trente ans et les exercices militaires durent pendant toute leur vie.

Ainsi, à Sparte aussi, les considérations politiques et économiques déterminent et expliquent tout le système éducatif : une aristocratie purement militaire, vivant pauvrement du travail des populations asservies sans jamais se laisser ramollir au conctact des vaincus, a soumis l'individu à ces fins jugées supérieures à tout autre trait distinctif : ce n'est plus la religion qui commande l'éducation, mais l'Etat ; et l'éducation tout entière vise à mettre complètement l'individu au service de la collectivité.

↬ **L'éducation à Athènes.** — Sparte n'a laissé à la civilisation qu'un souvenir et un exemple plus ou moins humain selon l'angle sous lequel on le regarde ; c'est à Athènes que nous devons l'origine d'une large part de notre pensée occidentale et aussi de l'éducation dite libérale qui a été l'idéal de notre culture classique. (Encore faut-il soigneusement distinguer de ses formes ultérieures décadentes l'éducation commune que cette cité est arrivée à donner à tout le corps de ses citoyens.) C'est elle qui les a élevés à ce haut niveau de culture qui les rendait capables de s'intéresser tous aux affaires politiques ou aux grandes œuvres littéraires qui se jouaient des journées entières au théâtre pendant les fêtes religieuses.

Cette éducation faite d'un savant dosage de formation physique, conçue comme une harmonie du corps et de l'âme, et de formation esthétique, d'art et de pensée, mérite d'être considérée encore comme un modèle dont nous aurions avantage à nous inspirer sur plus d'un point. Telle était encore la musique que Platon et Aristote regardaient comme le meilleur moyen d'inspirer aux âmes l'amour de l'ordre et de la beauté et la maîtrise des passions. De même la gymnastique ne visait point seulement au dressage du corps ou à la formation d'athlètes ;

elle cherchait à donner cet équilibre de la force et de la grâce, de l'adresse et du caractère, que nous oublions parfois/en barbares que nous sommes. D'ailleurs l'influence éducatrice s'exerçait aussi dans la vie sociale, par les cérémonies ou par les fêtes religieuses qui mettaient en valeur la danse et le chant ; les lois étaient promulguées au milieu des chansons ; le théâtre, les jeux, les défilés artistiques, les monuments, tout s'unissait pour donner ce sens de l'ordre et de la beauté qui pénétrait profondément les esprits et les mœurs. La réussite de la civilisation athénienne tient sans doute pour beaucoup à ce rôle élargi de l'éducation.

Il ne faut pas se leurrer pourtant : si son influence a pénétré toute une cité, on ne doit pas oublier qu'elle était permise par un régime où les besoins matériels étaient assurés par le travail d'un grand nombre d'esclaves ; ceux-ci par contre étaient privés de toute formation humaine et c'est grâce à leurs bras et à leur travail que des loisirs aussi grands étaient assurés aux citoyens pour former longuement la jeunesse d'une part et pour leur permettre d'autre part de vaquer à leurs occupations politiques et culturelles tout au long de leur vie. Encore étaient-ce les plus fortunés qui en jouissaient le plus. Quand on parle de la démocratie athénienne, c'est plutôt de cette démocratie limitée et oligarchique, si l'on peut dire, qu'il faudrait parler. Il faudra tout le progrès économique permis par le machinisme et les formes modernes de la production, pour qu'on puisse envisager une éducation vraiment démocratique, c'est-à-dire accessible à tous les individus selon leurs capacités naturelles. Et c'est pourquoi en ce temps-là des philosophes aussi libres qu'Aristote et Platon n'imaginaient même pas qu'on pût se passer d'esclaves et proclamaient l'esclavage nécessaire à la liberté.

Quoi qu'il en soit, Athènes a conçu une éducation qui dépasse dans une certaine mesure les impératifs sociaux ; certes l'individu est encore étroitement subordonné à l'Etat, mais on lui permet de déployer plus librement ses facultés ; le développement de la personnalité, le souci d'une formation pour le bien et le bonheur de l'individu prennent une place plus grande dans cette éducation qu'on peut appeler humaniste. L'idéal de l'homme « beau et bon » selon la formule célèbre dépasse l'utilitarisme étroit et terre à terre.

A sa naissance l'enfant est emmailloté à la différence de ce qui se fait à Sparte ; jusqu'au cinquième jour le père peut l'accepter ou l'abandonner. De un à six ou sept ans, il reçoit une première éducation dans la famille ; puis la loi exige seulement que le chef de famille lui fasse donner une instruction suffisante sans aller jusqu'à faire de l'école une institution publique. L'enfant est conduit à l'école par un vieil esclave appelé pédagogue. A l'école élémentaire, il est l'élève du *grammairien*, c'est-à-dire qu'il apprend la lecture, l'écriture, la mythologie, les éléments du calcul. Homère deviendra vite le livre de lecture où la jeunesse grecque apprendra à lire. Assis sur un tabouret, il écrit avec un stylet de métal ou d'ivoire sur des tablettes enduites de cire ; il apprend par cœur les beaux vers des grands poètes. Plus tard on ajoutera à cet enseignement des éléments de géométrie et le dessin. Un autre maître, le *cithariste*, lui enseigne la musique et lui apprend à jouer de la flûte et de la lyre, à déclamer en s'accompagnant de la lyre. Vers douze ou quatorze ans il se rend enfin à la *palestre*, terrain à ciel ouvert entouré de portiques où il apprend la gymnastique, tout en continuant la grammaire et la musique. Chaque année des examens contrôlent les résultats de ces études et des récompenses sont distribuées.

Telle était l'éducation commune de base qui permit à Athènes de n'avoir plus d'illettrés au temps de la guerre du Péloponèse. Les citoyens les plus pauvres s'en tenaient à cette formation et à l'apprentissage d'un métier, puisqu'il y avait tout de même des artisans et des agriculteurs libres. Cependant on peut aussi considérer comme une institution d'éducation l'*éphébie*, c'est-à-dire les deux années d'instruction militaire que les jeunes gens devaient faire de dix-huit à vingt ans avant leur entrée dans la vie adulte. Car si l'on y mettait l'accent sur la formation physique et militaire, l'éducation civique et morale n'était pas oubliée. Un examen et le serment d'obéir aux lois et de combattre courageusement terminaient ces années de formation générale et humaine.

Les jeunes filles, comme dans la plupart des civilisations antiques étaient beaucoup moins avantagées ; leur éducation se faisait à la maison et était uniquement pratique ; seules les jeunes filles de condition distinguée apprenaient à lire et à écrire. La femme, peu considérée, traitée comme la première des esclaves, n'était-elle pas condamnée à rester enfermée dans la maison où un appartement spécial, le *gynécée*, lui est réservé ?

Peut-on parler d'éducation professionnelle à cette époque ? L'organisation économique de la cité, qui réservait la plus grande part du travail aux esclaves et à l'économie familiale, le commerce aux étrangers, ne le permet guère. La famille pauvre s'efforçait de tout produire par elle-même ; les riches employaient à cela leurs esclaves ; c'est ainsi que tous les travaux qui concernent l'habillement, du lavage de la laine en suint jusqu'à la couture, se faisaient sous la direction de la maîtresse de mai-

son ; on apprenait à la jeune fille de bonne heure
dans la famille à filer, à tisser et à coudre. L'agriculture, comme les métiers d'artisans, s'apprenaient de
même par un apprentissage familial. La Grèce n'a
guère connu d'industrie proprement dite. Le plus
gand atelier qu'on connaisse, la fabrique de boucliers
du Pirée, comptait seulement cent vingt ouvriers.
Seules les mines employaient davantage de travailleurs, mais c'étaient des esclaves.

C'est que la Grèce très vite en vint à mépriser le
travail des mains et le réserva aux esclaves ; il
n'était pas digne à ses yeux de l'homme libre. A
Sparte Lycurgue interdisait aux citoyens toute
espèce de profession en vue du profit. Et à Athènes
on reléguait les artisans au dernier rang de l'échelle
sociale. A Thèbes les boutiquiers n'avaient accès
aux magistratures que dix ans après qu'ils s'étaient
retirés des affaires. Nous avons hérité de ce mépris
du travail manuel et des ressources qu'il peut offrir
à l'éducation. Il faudra attendre jusqu'à Rousseau
pour qu'on commence à concevoir que le travail des
mains puisse avoir une valeur formatrice par les
qualités morales, intellectuelles et artistiques qu'il
met en jeu. La pédagogie traditionnelle et ses fondements philosophiques portent la responsabilité de ce
mépris qui a entravé la formation et le développement intellectuel de la grande masse des travailleurs
manuels exclus par là de tout humanisme.

Ce défaut s'est aggravé par suite du fait que le
modèle d'où est partie notre éducation médiévale,
puis classique, n'est pas cette éducation commune
dont nous avons dit les mérites, mais l'éducation
plus poussée des écoles des *rhéteurs* et des *sophistes*
qui s'ouvrirent à la fin du Ve siècle et au IVe siècle
pour répondre aux besoins de la classe la plus for-
tunée. Dans ces écoles, des maîtres faisant payer

leurs leçons à proportion de leur célébrité enseignaient l'éloquence et la philosophie. Leur succès correspondit d'abord aux nécessités de la démocratie athénienne où l'art de parler en public, l'habileté dans la discussion, jouaient un grand rôle dans la vie politique et judiciaire. Les sujets d'enseignement étaient la grammaire, la poésie, le style, l'éloquence, la rhétorique, la politique générale chez les uns ; chez d'autres on insistait sur la nécessité d'une culture scientifique générale ; d'autres enfin, d'inspiration plus proprement philosophique, s'attaquaient aux grands problèmes de la pensée et de la sagesse.

Cet élargissement du champ de la culture était dans son principe fort heureux. Malheureusement il tournera vite à la casuistique et à la chicane. Les méthodes employées, la « discussion » que reprendront Rome et le moyen-âge, la répétition de mémoire de discours apprêtés, l'acquisition d'un savoir aussi superficiel que prétentieux, l'argumentation formelle et artificielle, firent bientôt tomber cette éducation dans un formalisme dangereux. Les mots, le verbalisme, la tombée harmonieuse ou habile des pensées, l'emportèrent sur les idées elles-mêmes, sur la sincérité et sur la vérité. L'art de soutenir le pour et le contre, la jonglerie verbale, et l'habileté à faire triompher la cause même mauvaise, marquèrent pour des siècles la culture supérieure. La rhétorique devint art d'expression et la philosophie art de persuasion. De là le sens péjoratif attaché au terme de sophiste. La Grèce qui avait pourtant conçu la science avec toutes ses exigences, qui avait développé grandement les mathématiques dans les écoles pythagoriciennes et entrepris l'observation et le classement des faits physiques et naturels, ne transmettra qu'un humanisme littéraire et verbal dépouillé de sa sève.

Même à l'*époque hellénistique*, dans cette Alexandrie qui deviendra la capitale du monde grec après la conquête de l'Asie par Alexandre, il perdra de sa force créatrice et deviendra un art de compilation et d'érudition, d'imitation exsangue des modèles du passé. Pourtant sur le plan scientifique, on voit apparaître alors un souci nouveau d'organisation collective de la science. C'est lui qui inspire la création sous les Ptolémées du célèbre Musée, doté d'une bibliothèque de sept cent mille volumes, d'un observatoire, d'un jardin botanique, d'une ménagerie, véritable centre de recherches où des savants pensionnés pourront à l'abri du besoin consacrer leur vie à des travaux scientifiques. Là et/dans toutes les écoles supérieures du monde grec progresseront toutes les sciences, l'astronomie avec Aristarque de Samos qui découvre que la terre tourne autour du soleil, la géométrie avec Euclide, la mécanique avec Archimède, la médecine avec les dissections de cadavres, etc. La pensée y prendra cet aspect universel que de grands génies lui avaient donné à l'époque classique, mais qui ne cadrait pas avec le particularisme étroit des cités. Elle deviendra pour un instant, avec la langue grecque qui la porte, une valeur internationale. Mais il lui faudra passer par le moule romain qui lui donnera sans doute des qualités nouvelles mais lui ôtera aussi nombre de ses vertus.

L'éducation romaine. — « La Grèce vaincue conquit son farouche vainqueur », nous dit une sentence antique. En effet en 146 av. J.-C. la Grèce devint une province de cet immense Empire qui se développa en quelques siècles depuis le petit territoire à l'embouchure du Tibre jusqu'à englober tous les pays autour de la Méditerranée que les Romains pouvaient appeler « notre mer ». Et c'est le grand mérite de Rome d'avoir compris la valeur de la civilisation grecque, de l'avoir assimilée et de l'avoir transmise, non sans transformations, à tous les peuples qu'elle conquit. Aussi dans la longue période que recouvre l'histoire romaine faut-il distinguer deux époques : avant la conquête de la Grèce et après.

La première se contenta d'une éducation essentiellement pratique et morale, tout à fait conforme au caractère romain. Ce peuple à l'esprit utilitaire, patriotique et guerrier, qui donnait la première place aux vertus du citoyen et du soldat, qui subordonnait étroitement l'individu à l'Etat et respectait par-dessus tout la loi, fut un peuple de conquérants en même temps que le créateur du droit qui porte encore son nom. Pendant *les premiers siècles de la République* il se contenta d'enseigner aux fils des citoyens les éléments pratiques de l'éducation, la lecture, l'écriture, le calcul, auxquels s'ajoutaient plus tard la préparation aux activités agricoles ou commerçantes et surtout l'entraînement à la vie militaire. Par ailleurs il imprimait en leur esprit les sentiments de base de la société romaine : respect pour les ancêtres, soumission à la famille, dévouement absolu à la patrie. Cette éducation purement physique et morale, ou pour mieux dire militaire et religieuse, se donnait dans la famille, cellule toute puissante de la cité. Auprès du père et de la mère bien plus considérée qu'en Grèce, la jeunesse se formait aux vertus qu'on attendait d'elle dans la vie. L'absence d'une littérature nationale explique peut-être aussi l'indigence littéraire et intellectuelle d'une pareille formation. CATON, le dernier défenseur de ce système, représente encore cet idéal proprement romain ; son insistance sur les arts pratiques tels que l'agriculture, sur la connaissance de la loi qu'on étudiait dans les Douze Tables, sur la médecine et, à la rigueur, sur une éloquence faite pour l'usage

du forum, témoigne de ce qui fit la valeur et les déficiences de l'esprit romain.

Ce fut cette éducation qui créa une nation de
guerriers et de citoyens loyaux et dévoués envers
la patrie, mais aussi un peuple égoïste et dur, à l'esprit terre à terre et intéressé, pour qui le bien de
l'Etat était le bien suprême et qui admettait le
recours à toutes les ruses et à toutes les fourberies
pour triompher. Sa force tient d'abord à la puissance
de la famille. L'autorité du père était illimitée. Quand
l'enfant naissait, on le lui présentait par terre ; s'il le
soulevait, c'est qu'il le reconnaissait ; mais la loi des
Douze Tables lui prescrivait d'étouffer ou de noyer
les enfants trop faibles ou difformes, selon l'opinion
ancienne qui ne regarde pas l'enfant nouveau-né
comme un véritable être. Le huitième ou le neuvième
jour, l'enfant était purifié et recevait son nom ; on
lui suspendait au cou une amulette ou bulle qu'il
portait jusqu'à sa majorité. Durant toute son
enfance qui durait jusqu'à sept ans il était confié à la
mère qui le nourrissait elle-même. Une multitude
de divinités veillaient sur ses premières actions
il y en avait une pour chacune d'entre elles, pour son
berceau et pour ses premiers pas, une pour vagir et
une pour parler... A sept ans il devenait *puer* et son
éducation proprement dite commençait.

A l'origine le père s'en chargeait ; peu à peu
l'habitude s'introduisait chez les plus riches de recourir à un esclave précepteur, puis à des maîtres privés
Mais jusqu'à l'Empire l'éducation est une chose
privée. L'enfant se rendait à l'école de bonne heure
emportant dans une sorte de boîte divisée en com-
partiments son matériel et son sac de jetons pour
calculer. Là en plein air, dans des préaux ou dans
des salles ouvertes à tout moment aux parents qui
pouvaient assister à une leçon quelconque, il écri-

vait, assis par terre, sur des tablettes enduites de
cire avec un stylus en fer, aplatissant avec le pouce
la cire sitôt qu'il avait fini. Quand le papyrus et le
parchemin apparurent on écrivit avec un roseau
taillé et trempé dans l'encre. On eut des livres faits
de feuilles collées par le côté et enroulées autour
d'une baguette. Pour lire on tenait la baguette de la
main droite et on déroulait de l'autre main le
feuillet unique. On recourait d'abord, à des lettres
gravées sur lesquelles l'enfant s'exerçait à passer ses
doigts, puis son stylus; enfin il les copiait. La discipline usait sans scrupules des châtiments corporels;
une fresque nous montre des écoliers assistant à la
fustigation d'un camarade nu. Le respect imposé par
la force et l'imitation sont encore les seuls principes
utilisés. La pudeur romaine proscrivait les exercices
physiques tels que les pratiquaient les Grecs qui se
dénudaient au gymnase. Le ballon, le lancer du dis-
que, la course, les sauts au Champ de Mars, sans pré-
tention esthétique, suffisaient à ces futurs soldats.
Quant aux filles, elles durent se contenter longtemps de la seule formation familiale. « Elle resta
à la maison et fila la laine » dit une épitaphe louant
la femme parfaite. L'apprentissage familial suffisait
pour initier la jeune fille à tous les travaux féminins.

A dix-sept ans le jeune Romain devenait *juvenis*;
dans une nouvelle cérémonie il déposait la bulle
et la toge bordée de pourpre. Accompagné des
siens, après un sacrifice aux dieux, il allait se faire
inscrire dans sa tribu et se présenter au forum.

Cette éducation suffit aux Romains presque
jusqu'à la fin de la République. Mais à la fin du
IIe siècle leur rencontre avec la civilisation grecque
amena, non sans lutte avec les traditions, un bouleversement profond. Scipion le Jeune, les deux Grac-
ques en furent les promoteurs essentiels. Le vieux

Caton tenta en vain de s'y opposer. On employa
d'abord dans les grandes familles des précepteurs
grecs qui étaient souvent des otages ou des esclaves.
La grammaire, la littérature et la rhétorique envahirent l'école, la famille étant de moins en moins
capable d'assurer toute seule la formation de l'enfant. Celui-ci de douze à seize ans fréquentait le
grammaticus qui lui faisait étudier la langue et la littérature. L'emploi du grec, c'est-à-dire d'une langue
étrangère, apparaît là pour la première fois dans
l'histoire. Les Grecs n'avaient pas eu besoin d'une
autre langue pour arriver au haut degré de culture
qui fut le leur. A Rome, faute de grands écrivains,
on dut recourir aux auteurs grecs. Ce n'est que sous
l'Empire qu'on put utiliser des extraits d'auteurs
latins récents comme Cicéron, Horace ou Virgile.

Vers seize ou dix-sept ans, le jeune homme passait
chez le *rhéteur* qui le préparait à l'éloquence judiciaire ou politique. Les exercices comprenaient des
commentaires de sentences ou de faits dignes de
mémoire, des compositions sur des sujets légen-
daires (que penser de la louve, nourrice de Romu-
lus ?), des amplifications sur les lieux-communs
moraux, des déclamations à propos de telle ou telle
situation historique, des controverses et enfin des
sujets de pure fiction. L'usage s'introduisit même,
dans la noblesse romaine, d'envoyer ses fils en Grèce
suivre des cours ou l'enseignement d'un orateur ré-
puté. Tous ces exercices répondaient, du moins à la
fin de la République, à un besoin social évident ;
quand la République fit place à l'Empire, l'éloquence perdit de son importance ; elle devint pure
rhétorique et déclamation. C'est pourtant cette formation purement verbale qui survivra dans l'éducation du moyen-âge. En même temps, l'Etat tend de
plus en plus à s'occuper de l'éducation. Les Empe-

reurs demandent aux municipalités d'organiser des écoles et de payer des maîtres. Vespasien assure au personnel enseignant un traitement. Julien interviendra même dans le choix des professeurs afin d'éliminer les chrétiens.

Dans tous les pays occupés par l'armée romaine, l'école sera pour les Romains un instrument de pénétration profonde. Le latin remplace en Gaule comme en Roumanie ou en Espagne les langues indigènes. La latinité des langues romanes et de plusieurs littératures en résultera, surtout lorsque le christianisme, ayant conquis Rome, adoptera la langue latine comme véhicule de la foi et comme langue liturgique.

Tel fut le destin d'une langue et d'une éducation d'où sortiront notre langue française et notre éducation secondaire. Rome a eu le mérite incontestable de reconnaître la valeur de la civilisation et de l'éducation grecques et de la transmettre. Mais par sa faute, des éléments importants tels que la science et les arts non littéraires en seront éliminés. Car elle n'a vu que le côté utilitaire des choses. A cause de cela la science s'arrêtera pour quinze siècles ou ne consistera plus qu'en une compilation vaine des œuvres anciennes. Elle ne réapparaîtra guère qu'à la Renaissance par le détour de l'Orient et du monde arabe. En Occident l'idéal éducateur sera presque uniquement littéraire et verbal. La forme l'emportera sur le fond. L'humanisme qui devrait pourtant embrasser tout ce qui est de l'homme et peut révéler l'homme, supportera jusqu'à nos jours les conséquences d'une conception étriquée de la culture. On le rattachera d'une manière indue à une littérature et à une conception statique de l'homme et de la civilisation. Et cela lui ôtera de son sens et de sa valeur éducative.

Chapitre IV

L'ÉDUCATION AU MOYEN AGE

Le christianisme et l'éducation antique. — Le christianisme a moins changé les formes de l'éducation antique qu'on aurait pu le penser à considérer les convictions nouvelles qu'il apportait. Certes avec ses idées de filiation divine de tous les hommes et par conséquent de fraternité universelle (1) il devait contribuer à libérer peu à peu l'individu des liens étroits qui le rivaient aux groupes humains de la cité, de la nation, ou de la race. Il donnait à la personne humaine une valeur sacrée qui la mettait en un sens au-dessus de l'Etat et de toutes les puissances sociales ; après lui, il ne pouvait plus s'agir de former seulement le citoyen pour la cité ou pour la patrie, mais pour lui-même et pour Dieu. D'autre part, l'idée d'une commune paternité de Dieu à l'égard de tous les hommes sans distinction devait conduire de proche en proche à la conception d'une éducation universelle où les distinctions de classes seraient éliminées, où la femme et l'esclave seraient les égaux de l'homme libre et où l'enfant, don de Dieu et promesse d'un saint, allait devenir une valeur sacrée par la perspective d'avenir qu'il

(1) « Il n'y a plus, disait PAUL dans la *Lettre aux Galates* (III, 2), ni de Grec ni de Juif ; il n'y a plus d'esclave ni d'homme libre ; il n'y a plus d'homme ni de femme ; car vous n'êtes tous qu'un en Jésus-Christ. »

représentait. C'est pour cela qu'un saint Jérôme s'occupera par exemple de l'éducation des filles, sujet nouveau dans la pédagogie. Mais il faudra attendre que les moyens matériels soient donnés pour que se réalisent les transformations en germe dans la religion naissante ou dans les idées nouvelles.

Par contre les liens de l'éducation avec la religion qui commençaient à se dénouer dans le monde gréco-romain décadent, allaient être renforcés de toute la vigueur d'une foi qui voulait pénétrer toute la vie dès les premiers balbutiements de la formation. En ce sens le christianisme continue les tendances des millénaires antérieurs et même les accentue. Car sa profonde finalité morale allait le détacher des développements simplement humains et rendre suspects les accomplissements matériels et naturels de l'humanité. Le dédain ou l'ignorance du corps, le mépris de la matière pourtant si liés l'un et l'autre au développement spirituel de l'homme et de la société, l'indifférence à la science et à la technique étaient la tentation logique d'une conception qui ne voyait dans le monde qu'une réalité toute transitoire ou le support de la seule réalité importante, celle de l'au-delà.

Chose encore plus étonnante, ce christianisme en révolte contre le paganisme des littératures et des éducations des siècles antérieurs, finit bientôt par adopter le système éducatif que lui léguait l'antiquité gréco-romaine. Non pas sur le plan moral évidemment ; car il était trop heurté par ce qu'il appelait les fables et les erreurs des païens. Il dut même lutter d'abord de toutes ses forces contre l'ordre et la religion établis ; mais sitôt qu'il en eut triomphé et qu'à partir du IIIe siècle, par la conversion des puissances du monde, la situation fut renversée et le latin adopté comme langue officielle de l'Eglise, il se sentit déchiré entre les buts nouveaux qu'il assignait à l'éducation et les ressources abondantes qu'offrait le système ancien. Saint Augustin, saint Jérôme, ceux qui devinrent les Pères de l'Eglise étaient plus ou moins partagés entre le sentiment de ce qu'ils devaient à l'éducation antique dans laquelle ils avaient été élevés et la nécessité d'adapter l'éducation aux besoins nouveaux. Tertullien réprouvait la pédagogie païenne comme un vol fait à Dieu. Mais Grégoire le Thaumaturge recommandait déjà d'extraire des philosophes grecs tout ce qui pouvait servir de base d'études et de préparation à la foi chrétienne. C'est dans ce sens que les premiers chrétiens résolurent le conflit. De même qu'à leurs ancêtres juifs, il avait été permis de sortir d'Egypte « en emportant les richesses des Egyptiens pour en orner le Tabernacle », de même les premiers chrétiens considérèrent qu'ils pouvaient faire leurs les richesses de la culture classique païenne et s'en servir comme d'un instrument pour fonder et défendre la nouvelle foi dans les âmes.

C'est ainsi que, malgré maintes condamnations et mises en garde, on en revint ou plutôt on en resta pour de nombreux siècles à la culture classique telle qu'elle avait été conçue et pratiquée par les Romains de l'Empire. Les écoles de grammaire et de rhétorique continuèrent à être des centres de haute formation mais elles servirent à former les fidèles de la nouvelle foi et les dirigeants ou ministres de l'Eglise.

Tel fut le puissant mouvement qui mêla des apports différents venant des Juifs, des Grecs et des Romains pour en faire un tout au service d'un nouvel idéal. On se contenta de retenir les éléments les plus utiles et d'éliminer tout ce qui pouvait présenter quelque danger ou ce qui ne cadrait pas avec la foi nouvelle. Ainsi on fit subir à l'éducation ancienne une déformation volontaire qui ne permettra plus guère de reconnaître la culture classique sous l'image qu'on en donna. On lui ajouta les Écritures, la récitation et le chant des Psaumes, puis l'initiation à la doctrine théologique quand elle fut élaborée. On la subordonna toute à un but essentiellement moral et religieux. On en fit l'embryon de ce qu'on peut à bon droit appeler l'humanisme chrétien.

L'éducation au temps des invasions. — Le christianisme n'avait pas encore complètement triomphé que les invasions barbares déferlèrent sur ce qui avait été l'Empire romain et mirent en danger, non seulement la chrétienté et le monde antique, mais la civilisation tout court. Au VIe siècle de notre ère Grégoire de Tours constate que « l'étude des lettres a complètement disparu tandis qu'on se livre aux actes bons et mauvais avec une égale impunité et que la férocité des barbares fait rage partout si bien qu'il n'est plus personne qui puisse décrire ou raconter le cours des événements tragiques ».

Dans cette subversion générale ce sont les monastères établis çà et là en Europe qui deviendront le dernier refuge de la culture et de la civilisation. C'est là que continueront à être conservés et recopiés les manuscrits des auteurs anciens, tout ce qui sera sauvé du bouleversement des invasions. On continua à y apprendre le latin qui se déformait rapidement ailleurs faute d'enseignement et à y garder l'héritage des anciens soit pour la formation de ceux qui se destinaient à entrer dans les ordres, soit pour le perfectionnement des moines, soit même pour les « externes » qu'on recevait dans les écoles rattachées à ces monastères. Tel fut le rôle des abbayes célèbres du Mont-Cassin en Italie, de Saint-Victor et de Cluny en France, de Saint-Gall en Suisse, de Fulda

et d'Hirschau en Allemagne, de Canterbury en
Angleterre, d'Armagh en Irlande. C'est là que se
conserva le flambeau de la tradition et que s'écri-
virent les seules œuvres de l'époque, chroniques,
commentaires, biographies des hommes religieux et
surtout traités d'éducation comme ceux de Capella,
Boèce, Cassiodore, Isidore de Séville, Bède, simples
compilations des connaissances de l'antiquité, mais
d'où partit tout l'effort culturel du moyen-âge.

Ces institutions traversèrent les agitations qui
ébranlèrent toute l'Europe du IIIe au IXe siècle.
L'Eglise pour la formation de ses prêtres ne pouvait
pas se désintéresser de l'instruction. Elle organisa
aussi autour des évêchés les écoles épiscopales où
les évêques eux-mêmes puis des maîtres spéciaux en-
seignèrent. Ces écoles servirent de transition entre
les écoles de grammaire des Romains et les institutions du moyen-âge. Ainsi au moment où l'Empire romain s'effondre, le christianisme recueille
l'héritage de la civilisation antique. Grâce à lui et à
la conversion des barbares, c'est le latin, le droit
romain et au fond la culture classique qui pénètrent
les nouveaux peuples qui se créent. Le christianisme
continuait l'Empire et la civilisation romaine. La
Rome chrétienne à sa manière en convertissant les
barbares rattachait à la tradition classique la forme
occidentale de la civilisation ; dans l'Europe mor-
celée en nations diverses, son esprit allait conserver
une certaine unité internationale largement basée sur
la culture qu'il sauvait et répandait.

Cette œuvre ne s'accomplit pas en un jour ni
sans dangers ; à certains moments même tout pouvait paraître perdu sous le flot des invasions qui
déferlait. C'est à peine si, après le VIe siècle, quelques
foyers de culture subsistaient en Angleterre et en
Irlande. Mais cela suffit à rallumer la flamme. C'est

là que les deux pré-renaissances viendront prendre
leur inspiration. Car il y a longtemps qu'on a renoncé
à l'idée d'un moyen-âge obscur et barbare. L'œuvre
accomplie par Charlemagne au début du IX⁰ siècle
et celle du XII⁰ et du XIII⁰ siècles qu'on peut regarder
comme l'apogée de la civilisation médiévale, mar-
quent, malgré l'apparence et le nom même de Renaissance qu'on a donné à l'époque suivante, le lien
qui unit le monde antique et le monde moderne.

Il n'empêche que bien des valeurs anciennes et
des savoirs acquis avaient été perdus dans l'inter-
valle. Il suffirait de comparer la carte du monde dite
de saint Alban au VIII⁰ siècle après J.-C. à celle des
savants géographes de l'époque hellénistique pour
juger sur ce point de la décadence intellectuelle
de cette période troublée. En particulier et par la
faute de Rome déjà, les connaissances scientifiques
de l'antiquité ont été oubliées en Occident ; elles
ne lui reviendront que par le détour de l'Orient et
du monde arabe. Tout ce qui se transmettra pour
l'instant, ce sera le contenu souvent fantaisiste des
compilateurs de l'Empire. Là s'allumera pourtant
la curiosité intellectuelle du moyen-âge.

Charlemagne et l'école du palais. — Après l'époque de désagrégation et d'obscurantisme amenée par
les invasions barbares, la période carolingienne représente une certaine renaissance de l'éducation. Car
l'action de Charlemagne, sacré empereur à Rome
en 800, si elle ne restaura que momentanément
l'Empire d'Occident, n'en fut pas moins importante
sur le plan culturel. Elle contribuera à donner
conscience à l'Europe de son unité de culture et
une fois de plus elle rattachera l'éducation à sa tradition classique.

Car c'est à la culture anglo-saxonne développée
outre-Manche au VII⁰ et au VIII⁰ siècles qu'il fit

appel en la personne d'Alcuin d'York qui devint son conseiller et en quelque façon son ministre de l'éducation. Il en fit le directeur de son Ecole du Palais qu'il attacha à la Cour pour servir à la formation des fils et des filles de nobles et qui devint une sorte de modèle pour tous les pays d'Europe occidentale.

Mais Alcuin qui avait été élevé dans une école épiscopale d'Angleterre, était avant tout un grammairien et un professeur, imbu du vieux programme d'études classiques qui déjà se fondait sur les sept arts libéraux. Il fit venir de Rome des maîtres de grammaire, de musique et d'arithmétique. Plus tard il sera fait abbé de Saint-Martin de Tours et y fera fleurir une école monastique tout en continuant à conseiller Charlemagne. Son disciple Raban Maur étendra son influence en Germanie où il deviendra abbé de Fulda. Scot Erigène lui succédera à l'Ecole du Palais ; c'est lui qui le premier recourra à l'induction « pour aller de l'étude des choses visibles à la contemplation pure des choses spirituelles » et qui, appliquant la dialectique à la théologie, sera le précurseur de la fameuse scolastique.

Charlemagne ne manifesta pas seulement son souci de l'éducation par la fondation de l'Ecole du Palais et le soin qu'il montra à trente-deux ans à s'instruire lui-même et à étudier la grammaire et la langue latine ; il encouragea vivement les monastères à fonder des écoles et exigea une meilleure éducation pour le clergé. Plusieurs de ses Capitulaires en témoignent et l'on sait comme l'Empereur s'intéressait lui-même aux résultats de ses efforts : tous les enfants connaissent la légende imagée qui nous montre l'Empereur interrogeant dans une école les fils de familles pauvres et les fils de nobles et menaçant ces derniers à cause de leur moindre application.

Certes le formalisme de cette éducation, son caractère verbal et mémoriel, nous font sourire. Alcuin lui-même a prêté à l'ironie par les échantillons qu'il nous en a donnés dans ses *Dialogues* avec Pépin dont voici un exemple :

« Pépin : Qu'est-ce que l'écriture ? — Alcuin : La gardienne de l'histoire. — P. : Qu'est-ce que la parole ? — A. : L'interprète de l'âme. — Qu'est-ce qui donne naissance à la parole ? — La langue. — Qu'est-ce que la langue ? — Le fouet de l'air. — Qu'est-ce que l'air ? — Le conservateur de la vie. — Qu'est-ce que la vie ? — Une jouissance pour les heureux, une douleur pour les misérables, l'attente de la mort. — Qu'est-ce que la mort ? — Un événement inévitable, un voyage incertain, un sujet de pleurs pour les vivants, la confirmation des testaments, le larron des hommes. — Qu'est-ce que l'homme ? — L'esclave de la mort, un voyageur passager, hôte dans sa demeure. — Où est-il placé ? — Entre six parois. — Lesquelles ? — Le dessus, le dessous, le devant, le derrière, la droite, la gauche... Qu'est-ce que les légumes ? — Les amis des médecins, la gloire des cuisiniers... — Qu'est-ce qui est merveilleux ? — J'ai vu dernièrement un homme debout, un homme marchant et qui n'a jamais été. — Comment cela a-t-il pu être ? Explique-le-moi. — C'était une image dans l'eau. »

Certes aussi l'Empire de Charlemagne disparaîtra avec lui et la chrétienté sera ravagée une fois de plus par les invasions nordiques de 850 à 950, mais cet humble renouveau aura suffi à transmettre l'héritage du passé, à constituer un autre chaînon de la civilisation.

Les origines médiévales de l'Université. — L'idéal culturel antique et religieux survécut aux déboires de l'Europe. Il inspirera le nouvel ordre qui se fera jour en Occident à partir du XIᵉ siècle et créera par-dessus les frontières une certaine unité spirituelle, celle de la chrétienté. Sans doute il subsistera une grande variété dans le domaine de l'éducation à l'époque qu'on peut appeler la grande époque du moyen-âge, c'est-à-dire au XIIᵉ et au XIIIᵉ siècles. Il faut

penser à la foule de ceux qui ne connaissaient guère
de formation que professionnelle ; et celle-ci commence à avoir une forme organisée dans les corporations qui vont bientôt se développer. Nous en
parlerons plus loin. Il y a aussi l'*éducation de la che-
valerie* qui, avec son idéal social, la place qu'elle
fait au développement physique et pratique (entraînement militaire, équitation, chasse, nage,
escrime, chant, musique, bonnes manières, etc.)
contraste beaucoup avec l'idéal monastique ; elle
ne contribuera pas peu à développer les qualités
de courtoisie, de respect pour la femme, d'honneur,
d'amour courtois qui humaniseront peu à peu les
rapports sociaux jusque-là assez violents et barbares.
Mais eu égard à l'avenir, ce qui compte le plus dans
l'apport du moyen-âge, c'est encore l'organisation
du système d'enseignement supérieur ou universitaire qui va s'épanouir dans les grandes Universités
européennes. C'est à elles en effet que remontent
nos institutions actuelles. Elles en portent encore
aujourd'hui le nom ; les divisions de nos facultés
sont encore celles du moyen-âge et l'enseignement
secondaire qui y conduit porte encore la marque,
jusque dans son esprit et ses intentions, des créations médiévales.

Car — chose singulière et qui explique bien des
difficultés et des déficiences de notre système actuel
d'enseignement — dans la construction de l'édifice
scolaire, c'est par le toit c'est-à-dire par l'enseignement supérieur qu'on a commencé. Et tous les étages
inférieurs ont été édifiés en vue de l'étage supérieur.
Au moyen-âge on ne se souciait pas, parce qu'on ne
le pouvait pas, de créer des écoles pour les serfs ou
les paysans, pas plus qu'on n'en organisait dans
l'antiquité pour les esclaves. Mais il fallait recruter
pour l'Eglise les clercs capables de prêcher la reli-

gion et d'administrer les affaires religieuses. De là
le souci d'étendre le bénéfice de la culture autour des
évêchés et des cloîtres à tous les enfants, pauvres ou
riches, qui en étaient capables. De là l'extension des
écoles monastiques, puis des écoles des évêques, des
chapitres. Les premières pouvaient donner gratuitement l'instruction ; les secondes faisaient payer
les riches et entretenaient gratuitement les enfants
du peuple ; des bourses ou des dons subvenaient aux
besoins des plus pauvres. Les conciles ne cessaient
de recommander cette œuvre d'éducation que l'E-
glise était seule à assurer. Et lorsque le développement industriel et commercial permettra le développement des écoles communales, c'est elle encore qui
les soutiendra en accord avec les municipalités qui
payeront seulement le traitement des maîtres. Au
moyen-âge ceux-ci étaient toujours des ecclésiastiques ou comme on disait alors des clercs.

Au xe et au xie siècles le développement des
écoles est encore lent ; mais bientôt, le cloître de la
cathédrale ne pouvant plus contenir tous les élèves,
des clercs, leurs études terminées, organisent en
ville des classes où ils ont le droit d'enseigner pourvu
qu'ils aient obtenu la « licence » d'enseignement,
délivrée par le chancelier ou *scholasticus*, désigné
par l'évêque pour contrôler les maîtres. Ainsi l'école
cathédrale essaima. Au xiie et au xiiie siècles les
ordres ecclésiastiques, Cisterciens, Prémontrés, puis
Franciscains et Dominicains, fournirent un appoint
considérable au développement de l'éducation.

On finit même par avoir les petites Ecoles de
grammaire où l'on étudiait les éléments et déjà
un peu de latin, langue savante et écrite de l'époque,
la seule qui permît d'accéder à la culture. Mais toujours le but de ces enseignements inférieurs était de
préparer le degré suivant, c'est-à-dire l'étude des

sept arts libéraux conformément à la tradition classique qui remonte, sinon à Varron, du moins à saint
Augustin. Ceux-ci se subdivisaient en deux groupes :
d'abord le *trivium* comprenant la grammaire, la
rhétorique et la logique, puis le *quadrivium* qui embrassait l'arithmétique, la musique, la géométrie et
l'astronomie. Leur but commun était de conduire
aux études théologiques auxquelles on adjoignit
bientôt les facultés de droit et de médecine. Car ces
études, en principe libérales, conduisaient à des
fonctions bien déterminées ; on les entreprenait soit
pour entrer dans l'Eglise, soit pour pratiquer la
médecine et le droit et les charges qui pouvaient
avoir besoin de connaissances un peu plus élevées.

Mais ces études supérieures ne se donnaient que
dans certaines écoles qui connurent un développement particulier. Ce fut l'origine des *Universités*
célèbres qui se créèrent à travers toute l'Europe,
soit par accord avec les communes ou les princes,
soit par associations entre professeurs et élèves,
selon le sens premier du mot, aujourd'hui bien ou-
blié. La plus ancienne Université fut celle de Paris
ouverte en 1200 ; elle fut suivie de créations iden-
tiques à Oxford en 1206, à Naples en 1224, à Cambridge en 1231, à Montpellier en 1283, à Coïmbre et
Lisbonne en 1290. Plus tard viendront Pise, Heidel-
berg, Cologne, Vienne, Pavie, Prague, Cracovie,
Bâle, etc.

Médiocrement installées, peu coûteuses — leurs
maîtres devant être payés à l'origine par les élèves,
puis par les communes —, se contentant de l'argent
perçu pour la collation des grades, extrêmement mo-
biles à l'occasion quand une guerre menaçait ou
qu'elles avaient un différend avec les autorités
locales, ces Universités attirèrent cependant de tous
les pays d'Europe des étudiants par milliers. Elles

échangeaient facilement leurs maîtres et l'on vit par
exemple Thomas d'Aquin enseigner à Paris, à Rome
et à Naples, Albert le Grand à Cologne et en France,
Roger Bacon à Oxford et à Paris. Elles se spéciali-
saient parfois comme Montpellier et Salerne en
médecine, Bologne en droit ; plus rarement elles donnaient un enseignement complet et comprenaient
les quatre facultés : arts, droit canon, médecine et
théologie. Elles contribuèrent grandement à créer un
esprit européen.

Cet esprit ne pouvait être que l'esprit chrétien ;
elles restaient toujours soumises à l'orthodoxie
catholique, mais s'appuyaient tour à tour pour défendre leurs droits sur l'autorité politique ou sur l'autorité religieuse locale ou sur l'autorité de Rome. C'est
ainsi qu'à la fin du XIIe siècle dans un conflit avec le
chancelier de l'évêque qui détenait le droit d'accor-
der ou de refuser la licence d'enseigner, l'Université
de Paris en appela à Innocent III. Et elle émigra des
rues de la cité sur la rive gauche de la Seine qui
devint le *quartier latin*. D'ailleurs la curiosité, le désir
de savoir, de fonder rationnellement la foi, conduisit
maîtres et élèves à déborder de plus en plus des sujets traditionnels et amena peu à peu l'émancipation de la science. « Nos écoliers sont heureux, dit
l'abbé de Saint-Victor, quand, à force de subtilités,
ils ont abouti à quelque découverte. Ne veulent-ils
pas connaître la conformation du globe, la vertu
des éléments, la place des étoiles, la nature des animaux, la vitesse du vent, les buissons, les racines ? »
Et de recommander la théologie, seule occupation
digne de l'homme et de l'éducation.

La vie des « escoliers » au moyen-âge nous est
assez bien connue avec ses difficultés et ses excès.
On pouvait entrer à quatorze ans à la Faculté des
Arts qui précédait obligatoirement les études de

théologie. On pouvait les faire durer longtemps et la profession d'écolier était devenue une véritable condition avec ses précieux avantages : dispense de l'impôt, relevance d'une juridiction spéciale, etc. On s'attachait au maître que l'on voulait ; on se disputait l'audience des plus réputés. Les cours se donnaient un peu au hasard ; toute installation y était bonne, une écurie de la rue de Fouarre (étymologiquement rue du Foin parce que les étudiants devaient s'y asseoir par terre sur de la paille), ou une maison particulière, souvent celle du professeur. Celui-ci y avait un escabeau ou parlait devant un pupitre ou du haut d'une estrade ; quelques chandelles éclairaient les jours sombres. Vêtu d'une robe noire à capuchon, il donnait un enseignement essentiellement livresque et verbal. Le papier étant très rare, les élèves ne disposaient à peu près pas de livres et de cahiers. On écoutait le maître lire, parler, expliquer et on discutait.

Il y avait comme toujours les escoliers sérieux et les autres, à côté de la vie d'études la vie de plaisir, les endroits joyeux où l'on se divertissait. Les rixes étaient fréquentes et la réputation de cette jeunesse étudiante n'était pas toujours bonne.

Matthieu Paris nous raconte comment « le dimanche gras de l'an 1229, quelques écoliers s'étant pris de querelle avec un cabaretier du faubourg Saint-Marcel, furent rudement battus par les gens du voisinage accourus au secours du cabaretier ; les écoliers, en rentrant en ville avec leurs vêtements déchirés, appelèrent leurs camarades à la vengeance : le lendemain ils revinrent en force, armés d'épées et de bâtons ; ils envahirent violemment le logis du cabaretier, brisèrent tous les pots, répandirent le vin sur le pavé, puis, courant par les rues assaillirent et laissèrent pour morts tous ceux qu'ils rencontrèrent, hommes ou femmes ». Le seigneur du bourg ayant porté plainte au légat romain et à l'évêque de Paris, l'affaire fut portée devant la reine Blanche de Castille. Celle-ci commanda au prévôt de Paris de châtier les auteurs de cette violence. Les hommes qu'on envoya pour cela tombèrent sur des écoliers désarmés qui jouaient paisiblement, blessèrent les uns et tuèrent les autres. Sur quoi les maîtres de l'Université ayant appris la chose suspendirent immédiatement leurs leçons et disputations et s'assemblèrent pour demander justice à la reine et au légat. « Alors il se fit une dispersion universelle des maîtres et des écoliers : on vit cesser à la fois les enseignements des doctes hommes et l'affluence studieuse des disciples, en sorte qu'il ne resta pas un seul maître de renom en la cité et la cité demeura privée de la clergie qui fait sa gloire. » Et le chroniqueur Guillaume de Nangis nous conte le dénouement de cette singulière grève : « Quand le jeune roi, nous dit-il, vit que l'étude des lettres et de la philosophie cessait à Paris, cette étude grâce à laquelle on acquiert les trésors de science et de sagesse, et qu'elle était ainsi partie de Paris, elle qui était venue de Grèce à Rome et de Rome en France, il eut grand peur que de si grands et de si riches trésors ne s'éloignassent de son royaume. Il manda donc aux clercs de revenir et leur fit faire réparation de tous les torts qu'ils avaient soufferts de la part des bourgeois. »

Telle était la puissance de l'Université. De bonne heure maîtres et élèves s'étaient organisés, selon la coutume du temps, en corporations ou associations, mi-sociétés de secours mutuels, mi-confréries religieuses, qui servirent à défendre vigoureusement leurs droits et leur indépendance mais qui, se scindant souvent en clans ou partis tournèrent peu à peu leurs forces en des querelles assez étrangères à leur première intention. L'Université constitua vite un petit Etat dans la cité parisienne avec ses tribunaux, ses us et ses disputes avec les pouvoirs voisins. L'afflux des étudiants les amena à se rassembler en nations — picarde, normande, anglaise et française — selon leur origine. Certains d'entre eux étaient riches ; les pauvres avaient en outre à gagner leur vie, quelquefois par tous les moyens. En 1245 les quatre nations des Arts élurent un recteur qui devint peu à peu le chef de l'Université.

A la fin du XIIe siècle, pour recevoir les étudiants pauvres ou étrangers, furent organisées des maisons

spéciales qui les logeaient et les nourrissaient à
meilleur compte. Puis des maîtres et des étudiants
vinrent s'installer en commun dans ces sortes d'hô-
tels où ils vivaient ensemble sous la direction d'un
principal. Ce fut l'origine des célèbres *Collèges*
comme celui que fonda en 1253 un certain Robert,
originaire du petit village de Sorbon dans les Ar-
dennes, et qui devint la *Sorbonne*, maison future de
la théologie. Des nations étrangères créèrent à leur
tour des maisons de ce genre pour leurs nationaux, et
l'on eut ainsi les Collèges des Suédois, des Danois,
puis des diocèses, puis des grands ordres. Simples
institutions charitables à l'origine, les collèges, du
jour où l'enseignement y fut donné, devinrent des
annexes de l'Université et finirent par absorber
toute la vie de la Faculté des Arts.

Tout comme dans les corporations, on avait
créé toute une savante succession de grades de
bachelier, licencié et docteur dont la terminologie
et le principe se sont conservés jusqu'à nous. Mais
pour les obtenir il fallait non seulement présenter
les connaissances requises (on pouvait aussi au bout
d'un certain nombre d'années devenir bachelier à
l'ancienneté) mais aussi offrir aux maîtres un certain nombre de cadeaux souvent coûteux qui constituaient pour l'étudiant comme un droit de maîtrise.

L'enseignement donné était caractérisé d'abord
par son encyclopédisme. C'est par fidélité au moyen-
âge que nous continuons à concevoir la culture
comme une culture générale sur le plan intellectuel.
Encyclopédisme d'ailleurs fort concevable et prati-
cable si l'on tient compte de la limitation des connaissances du temps, beaucoup plus difficile à appliquer aujourd'hui. Il avait en outre une unité d'inspiration qui, à côté de maints inconvénients, pré-

sentait l'avantage de coordonner étroitement tous
les aspects de la formation : cette unité résidait
dans son intention religieuse. Tout était subordonné
à la théologie ; cette dépendance qui faisait toutes
les disciplines « servantes de la théologie » selon l'expression du temps, a pu sacrifier longtemps certaines sciences comme les sciences concrètes qui ont
dû conquérir peu à peu leur indépendance ; elle
reposait sur une conception de base de l'homme et
de l'esprit que nous n'avons peut-être pas encore
retrouvée aujourd'hui que la base religieuse a été
perdue.

C'était enfin un enseignement purement formel,
fondé surtout sur la connaissance des mots et des
textes et sur la logique déductive ou dialectique. Ce
caractère s'explique assurément par le développement insuffisant des connaissances scientifiques
de l'époque et par le mépris que conférait à la connaissance des choses l'estime de l'esprit. On ne
concevait pas que les choses pussent conduire à
l'esprit et que toute connaissance pût être une révélation à sa manière de ce qu'est l'esprit humain. On
ne connaissait à vrai dire comme méthode de pensée
que la déduction et la science des textes ; de là le
principe d'autorité indûment appliqué aux domaines
qui ne sauraient le tolérer, la foi dans la parole des
maîtres et particulièrement d'Aristote récemment
découvert. De là le recours aux commentaires sem-
piternels, aux exposés et aux « disputes » confronta-
tions d'opinions ou d'interprétations. Néanmoins le
désir nouveau de fonder une philosophie rationnelle
pour expliquer la doctrine de l'Eglise comme nous
le voyons dans le thomisme, le besoin d'éclairer les
rapports de la raison et de la foi, l'emploi extrême
de la logique n'ont pas manqué d'ouvrir l'esprit à de
nouveaux problèmes et de préparer pour la raison

humaine un appareil d'exigences rationnelles et de méthodologie qui sera prêt à être utilisé pour n'importe quel champ de l'investigation intellectuelle. En ce sens le moyen-âge a préparé sans le vouloir le rationalisme.

Quant aux techniques et à l'esprit social de cette éducation ils reflètent les tendances générales du temps : l'appel à la mémoire, aux classifications, au verbalisme se justifient en partie par l'absence de livres ; ils n'ont plus les mêmes raisons d'être aujourd'hui bien qu'on en soit souvent encore aux cours magistraux et aux récitations presque par cœur. De même la tendance ascétique et pessimiste des convictions générales de l'époque explique la conception médiévale de la discipline. On n'a conçu encore qu'une discipline négative, autoritaire, valable peut-être pour freiner du dehors de l'être les déportements de natures excessives et violentes, mais insuffisante pour obtenir l'adhésion véritable des individualités à former. Les recommandations de saint Ambroise, de Fulbert de Chartres et de Gerson, préconisant la douceur et la patience, les réalisations de Victorin de Feltre créant la Maison joyeuse dont le nom suffit à indiquer l'intention, sont encore seulement des signes précurseurs d'un autre idéal.

Il n'en reste pas moins que nous devons beaucoup, en France particulièrement, à l'abondante création scolaire qui fut celle du moyen-âge : nos institutions actuelles, nos diplômes, les procédés d'une partie de la culture, notre conception même de la culture remontent au moins à elle, sinon à l'antiquité. C'est une autre question de savoir si les conditions historiques et l'idéal moderne n'en commandent pas certaines transformations.

La formation professionnelle au moyen-âge. — On

ne peut guère parler d'éducation professionnelle
tant qu'elle se confond avec la pratique de la vie
et l'apprentissage familial et tant que le travail
manuel est méprisé ou considéré comme une servi-
tude. Avec le christianisme le travail est regardé
comme une punition divine mais aussi comme un
moyen de rachat de l'homme. Si la religion chrétienne prêche la résignation, elle fait voir par ailleurs
dans le travail mieux qu'une épreuve, un moyen de
remplir son devoir humain et de servir ses sembla-
bles. « Qui ne travaille pas, n'a pas droit à man-
ger » proclame l'apôtre Paul. Et en plus d'un passage l'Evangile fustige le riche ou l'oisif. Elle condamne aussi au moyen-âge le prêt à intérêt dans la
mesure où il est un revenu acquis sans travail. « Prier
et travailler » sont les deux règles d'or de la plupart
des ordres monastiques.

L'époque féodale attachant le serf à la terre et
l'artisan à son métier, la formation professionnelle
reste le plus souvent familiale comme la production.
Mais, avec le développement des villes où se fait le
commerce, une véritable division du travail commence à apparaître. Peu à peu les artisans d'un
même métier se groupent et forment les *corporations*
qui représentent à la fois un essai d'organisation du
travail et de défense des droits et des intérêts de
leurs membres, donc un progrès, mais aussi une tentation de s'en réserver exclusivement les bénéfices
et d'étouffer l'esprit d'initiative. L'artisan travaille
d'abord seul dans son échoppe, tout au plus avec
l'aide des membres de sa famille. Mais bientôt on
voit se former de petits ateliers occupant quatre ou
cinq personnes et une véritable hiérarchie de la corporation se crée. On distingue alors les maîtres, les
compagnons et les apprentis. La corporation fixe
dans ses statuts les conditions pour devenir compa-

gnon puis maître. Ainsi est née la première tentative d'organisation de l'apprentissage.

L'apprenti est placé auprès d'un maître pour apprendre un métier à un âge qui varie de dix à dix-huit ans selon le cas. Il est lié par un contrat oral ou écrit, pour un temps déterminé pendant lequel il doit servir le maître « en toute fidélité et prudhommie. Pendant lequel temps, dit un de ces contrats, le sieur X promet de bien et dûment apprendre, et en outre de le nourrir de dépens de bouche, coucher et chauffer honnêtement ». De son côté, le père s'engage « à entretenir son fils de chausses et habillement, et en outre à donner à la femme du dit X à chaque fête de Pâques un costume de serge ». Le contrat est signé pour une période variable allant de deux à huit et même dix ou douze ans. Le nombre des apprentis était en général limité à un ou deux à la fois. Souvent un droit d'entrée au roi et à la confrérie était exigé. Une fois entré en service, l'apprenti devait « bien servir et obéir » ; il était tenu la plupart du temps à toutes sortes de menus services ; à sa sortie d'apprentissage il recevait un certificat qu'on exigeait de lui s'il voulait devenir compagnon ou maître. Son temps d'apprentissage était, selon les maîtres, agréable ou pénible ; souvent il participait comme les compagnons à la vie de la maison où il travaillait ; mais il dépendait beaucoup de son maître qui avait le droit de le corriger.

A côté des ouvriers établis il y avait aussi une catégorie de manœuvres employés selon les besoins dans les cas de presse, et les forains, étrangers venant d'une autre ville qui n'étaient admis que sous la condition de payer une redevance ou de faire un nouvel apprentissage.

La corporation et son système de formation professionnelle dureront jusqu'à la Révolution française et même jusqu'au XIXᵉ siècle dans certains pays comme la Russie. Ils disparaîtront peu à peu devant le travail libre lorsqu'ils apparaîtront comme un monopole susceptible de faire obstacle au progrès et à l'intérêt général.

Mais il convient de noter que cette éducation manuelle ou artisanale ne se souciait pas spécialement de la formation intellectuelle ou générale si ce n'est pour répondre aux stricts besoins du métier. Peut-être faut-il voir une tendance à une formation pratique mais plus large dans les écoles créées du XIᵉ au XIIIᵉ siècles par les Guildes et les bourgs. Souvent, à côté des études élémentaires nécessaires à l'activité commerciale, y apparaissent les langues indigènes ou le souci de répondre mieux aux besoins économiques des classes bourgeoises ou commerçantes.

L'éducation arabe. — Il nous faut dire un mot, à cause de son influence et de son rôle, de l'éducation et de la culture qui se développèrent parallèlement à la civilisation chrétienne du IXᵉ au XIIIᵉ siècles à la suite de l'expansion arabe sur de larges parties de l'Asie, de l'Afrique et même de l'Europe. Entrée en contact avec les successeurs des savants hindous, byzantins et alexandrins, en particulier en Perse, en Egypte et dans les monastères de la Mésopotamie, où la philosophie et la science grecques avaient survécu, la civilisation musulmane eut le mérite de reconnaître ces valeurs et de les développer ; c'est ainsi qu'elle hérita d'un souci beaucoup plus large de la formation scientifique assez étouffée en Occident. Les mathématiques avec l'algèbre, les nombres arabes, la trigonométrie, l'astronomie qui avait perfectionné les résultats obtenus sous les Ptolémées, la chimie sous forme plutôt d'alchimie, mais d'alchimie expérimentale, la physique, la médecine et la chirurgie y occupèrent une place importante.

Dans des villes comme Bagdad avec sa grande bibliothèque, on se mit à traduire dans la langue arabe qui les véhicula à travers le monde les œuvres de Gallien et d'Aristote, de Platon et aussi les ouvrages géographiques, mathématiques, astronomiques de Ptolémée, Euclide, Archimède. Et ainsi les Arabes sauvèrent une autre part de l'apport antique.

Ils le développèrent dans les écoles qu'ils établirent auprès de chaque mosquée et surtout dans les institutions d'enseignement supérieur qui se créèrent dans les grandes villes où leur libéralisme permit d'enseigner aussi bien à des juifs ou à des chrétiens qu'à des professeurs musulmans. Par leurs conquêtes et leurs contacts avec les peuples qu'ils dominèrent ou menacèrent, jusqu'en Europe où à plusieurs reprises ils mirent en danger la chrétienté, ils s'en firent les agents actifs de diffusion. En Espagne fleurirent les écoles célèbres de Tolède, Séville, Valence et surtout de Cordoue, où enseigna le célèbre Averroès qui eut une si grande influence sur la philosophie médiévale. Les étudiants itinérants d'Europe par l'intermédiaire d'interprètes juifs vinrent y découvrir Aristote dont on sait l'influence sur la théologie chrétienne. Des traductions latines des livres arabes furent faites. Et ainsi d'Espagne le savoir gréco-arabe se répandit peu à peu en Europe. Les Croisades développèrent ces contacts par la guerre. Peu importe que cet élan ait peu duré ou qu'il ait été surtout une exploitation des découvertes d'autrui, puisqu'il était donné et qu'il reliait le moyen-âge et plus tard la Renaissance avec la tradition scientifique du monde grec.

Chapitre V

LES EFFETS
DE LA RENAISSANCE ET DE LA RÉFORME
SUR L'ÉDUCATION

Le système d'éducation du moyen-âge tendit à se perpétuer comme tous les systèmes établis ; et cette stabilité entraîne toujours deux sortes de défauts. Le premier est une sorte de sclérose des méthodes et de l'esprit anciens. Ce qui a eu une valeur un certain temps tend à se perpétuer sous forme de recettes et de mécanismes. Le second est, lorsque les événements se précipitent et que changent les conditions de la vie, de ne plus répondre aux besoins, aux nécessités et aux possibilités du moment.

Ainsi au xive et au xve siècles, les méthodes médiévales justifièrent de plus en plus les critiques qui seront portées contre elles jusqu'au temps de Rabelais et de Montaigne, puis de Bacon et de Descartes. Les excès de la dialectique et de la « dispute », les abus de l'autorité, des exercices mécaniques de mémoire, du verbalisme, feront sentir de plus en plus leur ridicule. La parodie qui en sera faite dans le portrait de Gargantua, élevé selon les méthodes scolastiques, apprenant pendant vingt ans les livres qu'il étudie au point de pouvoir les réciter à l'envers par cœur et qui cependant « ne profitait en rien et, qui pis est, devenait fou, niais, tout rêveur et rassoté » n'est pas qu'une invention de la verve satirique de Rabelais. Dès le xve siècle un pédagogue hollandais, Agricola, pouvait écrire : « On voulait me confier une école ; c'est une affaire trop difficile et trop ennuyeuse. Une école ressemble à une prison : ce sont des coups, des pleurs et des gémissements sans fin. Si une chose a pour moi un nom contradictoire, c'est l'école. Les Grecs l'ont appelée *Scholè*, loisir, récréation, et les Latins *ludus litterarum*, jeu littéraire. Mais il n'y a rien qui soit plus éloigné de la récréation et du jeu. » Si l'école est pour nous une chose sérieuse, il est bien certain que c'est une étrange méthode pour la faire aimer que de lui donner cet air rébarbatif qui laissera à Montaigne le même souvenir amer.

Par ailleurs on assistait à une véritable crise de croissance du monde et de l'esprit en cette fin du moyen-âge et en ce début des temps modernes qui marque un tel renouvellement de la civilisation occidentale qu'on lui a donné le nom de Renaissance. Il fallait qu'y correspondît tôt ou tard une crise et une transformation de l'éducation elle-même. Ce n'est pas en vain qu'avaient eu lieu les Croisades qui avaient mis la chrétienté en contact avec des civilisations différentes, ou les découvertes et explorations maritimes de Marco Polo à Christophe Colomb et à Magellan. L'ère planétaire du monde succédait à l'ère des civilisations isolées, séparées par des barrières plus ou moins closes selon les époques. Les contacts nouveaux ne vont pas manquer de faire réfléchir et d'ôter en tout cas de leur absolutisme aux opinions professées, d'incliner vers le relativisme la pensée occidentale. D'autre part, les inventions d'instruments nouveaux comme le télescope qui révèle d'autres mondes ou le compas marin qui augmente singulièrement l'aire du monde connu, la redécouverte du savoir scientifique grâce aux Arabes ou aux savants byzantins chassés d'Orient par la prise de Constantinople (1453), le développement du commerce et des cités commerçantes, celui d'une nouvelle classe sociale, en Italie et en Flandres particulièrement, la bourgeoisie aux tendances plus individualistes, vont donner à l'homme un sentiment de confiance en lui-même, une audace critique et une liberté que le moyen-âge n'avait pas connus. A ce moment prétendre imposer une dialectique vaine et stérile à la pensée ou un autoritarisme intransigeant dans tous les domaines devient une véritable gageure, tout comme c'en sera une d'asservir l'industrie urbaine aux cadres de l'économie corporative.

Les échanges spirituels vont suivre les échanges économiques et agrandir tout autant l'horizon de la culture. Le développement des langues et des littératures nationales va donner naissance, à côté des œuvres latines, à des œuvres en français, en italien ou en anglais. L'Italie a déjà Dante et Pétrarque, l'Angleterre aura Shakespeare ; le XVIe siècle voit l'épanouissement de la langue française imposée par François Ier à tout le royaume dans les actes judiciaires. Ces faits concordent avec

l'apparition des nationalités européennes qui brisent l'unité
européenne et de pouvoirs temporels qui auront maintes fois
à s'élever contre l'autorité spirituelle ; dans le même sens ira
la lutte des cités médiévales pour conquérir leur indépendance.
Tout cela change les conditions d'exercice de la pensée et crée
des conditions favorables à la liberté, à la tolérance et à l'audace créatrice. La classe bourgeoise voudra en profiter la première et bénéficier de la culture ou de l'art grâce à sa richesse.
La découverte de l'imprimerie par Gutenberg en 1440 et l'utilisation du papier de chiffon vont multiplier les livres, les mettre
à la portée d'un nombre de plus en plus grand de gens et
changer aussi les conditions de l'enseignement.

La conséquence de ces faits ne s'est pas fait sentir d'un seul
coup et en un sens la Renaissance et la Réforme ne sont pas la
rupture décisive qu'on se représente parfois sous ce nom. Ni
l'une ni l'autre ne le sont dans l'immédiat ; car ni l'une ni l'autre ne rompent avec la religion : la Réforme est plutôt un retour
à une religiosité qui se veut plus profonde et plus personnelle
et la liberté de pensée de l'humanisme n'est pas si grande ni
surtout si générale qu'on a bien voulu le dire. Enfin ni l'une ni
l'autre ne renoncent à l'antiquité gréco-latine ; bien au contraire, la Renaissance y revient plus qu'aucune autre époque et
la Réforme, malgré ses principes et sa volonté de rendre la
culture religieuse et la connaissance de la Bible accessibles à
tous, ne propose pas l'étude de la langue maternelle mais
encore celle du latin auquel on ajoute maintenant le grec
et l'hébreu. De ce point de vue ces deux mouvements représentent plutôt un retour en arrière mais un retour qui
devait conduire à un élan plus grand en avant.

C'est ainsi que la Renaissance ne représente pas tant le retour
à l'antiquité déjà opéré au moyen-âge que la découverte, la
mise à jour d'une autre antiquité, oubliée ou négligée par l'âge
précédent. Celui-ci s'était forgé pour ses besoins une image de
l'antiquité, amputée, réduite, transformée et conformée à l'idéal
chrétien ; ce que la Renaissance se complaît à retrouver dans
l'antiquité repensée par elle, c'est au fond l'image de ce qu'elle
cherche, un intérêt pour le monde et pour la nature, une joie
de vivre, une soif de connaissances et de science, un besoin de
réalisation individuelle et humaine qui avaient été contraints
jusque-là sous le signe de l'autorité, d'une spiritualité étroite,
d'une théologie qui asservissait et dépréciait tous les savoirs
subalternes. De là provient l'enthousiasme des humanistes de
ce temps pour toute connaissance et d'abord pour tout ce que
les anciens avaient pu dire ou découvrir ; de là la recherche
des manuscrits classiques, l'étude du grec et du latin non plus

pour les besoins de la théologie mais pour les trésors de connaissances naturelles, scientifiques, morales qu'ils renferment. On
lit Pausanias ou Athénée, tous les vulgarisateurs scientifiques,
historiques autant que Cicéron et Platon. On consulte les anciens pour la médecine et les sciences naturelles autant que pour
leurs grandes œuvres littéraires. De là l'encyclopédisme des
humanistes de la Renaissance comme Ramus, Pic de la Miran-
dole ou Léonard de Vinci. Le gigantesque programme que
trace Rabelais et qui embrasse le corps (rentré en considération) et l'esprit, les connaissances pratiques et théoriques, les
métiers et les industries (nouvel objet de la culture), les sciences
positives et les langues anciennes, le droit et la morale, répond
parfaitement à ce désir et à ce besoin. L'élargissement de la
formation humaine et de l'idéal culturel sont la conséquence
directe des transformations opérées dans la vie et dans la pensée d'alors. Mille raisons économiques, politiques, sociales,
morales y conduisaient. Mais c'était au fond un changement
dans la conception de la vie et de l'homme qui se manifestait
ainsi et qui entraînait puissamment le sentiment d'une insuffi-
sance grave de l'humanisme dont on s'était contenté jusque-là.
Un humanisme basé sur l'homme et tourné vers le monde de la
nature et des choses, plus confiant dans les destinées naturelles
de l'individu, allait naître et faire reconnaître peu à peu que la
plus noble étude de l'humanisme c'est l'homme envisagé dans
toutes ses activités et créations. En ce sens la Renaissance
marque bien la naissance de l'ère moderne et devait entraîner
des conséquences imprévisibles pour elles et peut-être non
voulues mais inéluctables. La révolte contre l'autorité, l'esprit
scientifique d'observation, de doute, de critique, d'affirmation
de l'individualité dans son développement et dans ses droits
dont le premier est d'atteindre à une pleine culture d'elle-
même, l'exigence d'une vraie liberté de pensée sont contenus
obscurément mais nettement dans les tendances nouvelles.
C'est à une éducation totalement nouvelle que conduira de proche en proche le développement de ces tendances.

C'est dans les cités libres de l'Italie que se manifestèrent
d'abord ces tendances et cet enthousiasme d'une vie intellectuelle et artistique rénovée. Un nouveau type d'homme s'y
manifesta. Et cet idéal conquit peu à peu les nations de l'ouest
de l'Europe à l'exception de celles où triompha la Réforme.

Mais ce renouveau culturel et scientifique ne pouvait pas
porter immédiatement tous ses fruits. Sur le plan de l'éducation
il n'aboutit d'abord qu'à un retour au formalisme ancien et à
la fréquentation de la seule littérature ancienne. Car il ramenait
puissamment en raison de ses origines à la connaissance du

latin, au côté duquel on faisait simplement une place plus grande au grec et on introduisait l'hébreu. Le discours, la parole y jouent un moindre rôle mais c'est encore le livre qui va rester le canal de toute connaissance ; certes on proposait maintenant une riche matière à l'éducation, mais la magie du verbe ancien reste telle qu'elle seule peut opérer, aux yeux des néo-humanistes, l'œuvre de formation. Aussi la Renaissance marquera-t-elle un nouveau retour à l'antiquité, une antiquité nouvelle assurément dans la forme et dans la matière, mais l'antiquité tout de même. Un Erasme (1467-1536) contribuera beaucoup à perpétuer l'erreur du verbalisme et l'idée que le but de l'éducation c'est toujours et uniquement l'art de parler et d'écrire ; on laissera aux mots la primauté sur les choses et les faits ou l'expérience ; on continuera pendant des siècles à méconnaître la valeur du réel, du concret et de la science comme moyens de formation de l'esprit. Par contre on proscrira le latin barbare auquel le moyen-âge avait abouti et qui avait pourtant le mérite de la vie et de l'utilité pratique. On restaurera le pur latin défini par ses écrivains classiques et moins fait pour être parlé que pour être lu ou écrit. A la culture strictement logique on substituera une culture plus raffinée, plus littéraire et plus soucieuse de l'élégance.

Les savants humanistes de l'époque, en hommes à l'esprit encyclopédique et à la curiosité universelle, les écrivains pédagogues du temps n'ignoraient pas la valeur méthodologique de la science et de l'effort de la pensée pour expliquer et comprendre le réel. RABELAIS d'accord avec eux recommandait l'étude de toute science, l'expérience directe de la vie et de toutes les formes d'activité humaine, sans excepter le travail manuel. MONTAIGNE va encore plus loin : assignant un but essentiellement pratique à l'éducation, à savoir la sagesse dans l'art de vivre et la formation du caractère, il recommandait non la science encore assez douteuse à ses yeux mais l'expérience de la vie, l'observation et la connaissance des hommes, les voyages dans les pays les plus divers. Il mettait en garde contre l'instruction livresque « ornement de l'esprit, mais non fondement ». Il blâmait même le souci excessif de la forme et sentait les inconvénients de l'étude exclusive des langues anciennes. « C'est un grand et bel agencement sans doute que le grec et le latin, mais on l'achète trop cher », écrivait-il. Et la langue nationale ou même les langues étrangères paraissaient beaucoup plus aptes à former l'homme moderne à ce penseur dépourvu des préjugés d'école. En cela il rejoignait les gens de la Pléiade qui avec DU BELLAY constataient : « Que la cause principale d'où provient que les hommes de ce siècle sont généra-

lement moins savants en toutes sciences et de moindre prix que
les anciens, c'est l'étude des langues grecque et latine. Car si
le temps que nous consumons à apprendre les dites langues était
employé à l'étude des sciences, la nature certes n'est point
devenue si brehaigne (stérile) qu'elle n'enfantât de notre temps
des Platons et des Aristotes. Mais nous qui ordinairement affec-
tons plus d'être vus savants que de l'être ne consumons pas seulement notre jeunesse en ce vain exercice, mais comme nous
repentant d'avoir laissé le berceau et d'être devenus hommes,
retournons encore en enfance et par l'espace de vingt ou trente
ans ne faisons autre chose que d'apprendre à parler, qui grec,
qui latin, qui hébreu. Lesquels ans finis, et finie avec eux cette
vigueur et promptitude qui naturellement règne en l'esprit
des jeunes hommes, alors nous procurons être faits philosophes
quand pour les maladies, troubles d'affaires domestiques et
autres empêchements qu'amène le temps, nous ne sommes plus
aptes à la spéculation des choses. »

Nous n'insisterons pas davantage sur ces théoriciens éducateurs car ils n'ont pas eu d'influence immédiate sur les institutions. Les Universités déclinèrent régulièrement et ne surent
que s'opposer aux idées nouvelles. La royauté devra leur imposer en 1600 les transformations les plus inévitables. Seul le
Collège de France, créé en 1540 par François Ier en dehors
d'elles, participera à la vie créatrice. Quant aux Collèges jésuites qui prendront la suite des Collèges médiévaux, ils n'ad-
mettront que l'aspect étroit des conceptions de la Renaissance.

La Réforme protestante joignit ses effets à ceux de la Renaissance, mais ses effets furent aussi plutôt indirects que directs.
Le souci de l'éducation est primordial chez les réformistes. Et,
à prendre les programmes de Luther, de Zwingli ou de Calvin,
on voit qu'une révolution véritable de l'éducation nous est
proposée, pour d'autres raisons sans doute mais d'une portée
encore plus grande.

L'ignorance est le grand mal pour la vraie religion ; pour-
chasser l'ignorance est donc le premier devoir d'une cité. « La
prospérité d'une cité, écrit Luther aux magistrats et sénateurs
allemands, ne dépend pas seulement de ses richesses naturelles,
de la solidité de ses murs, de l'élégance de ses maisons, de l'a-
bondance des armes de ses arsenaux ; le salut et la force d'une
cité résident surtout dans la bonne éducation qui lui donne
des citoyens instruits, raisonnables, honnêtes, bien élevés. »
L'idée de la formation du citoyen est incluse dans ses vues, et

par conséquent aussi celle d'une éducation pour tous. « Que si chaque année on emploie tant d'argent pour acheter des machines de guerre, pour construire des routes, pour établir des ponts et en vue de mille autres objets d'utilité publique, pourquoi n'en emploierait-on pas bien davantage ou tout au moins autant pour nourrir des maîtres d'école, des hommes actifs et intelligents, capables d'élever et d'instruire notre jeunesse ?... Quand il n'y aurait ni âme, ni ciel, ni enfer, encore serait-il nécessaire d'avoir des écoles pour les choses d'ici-bas... Il nous faut en tous lieux des écoles pour nos filles et nos garçons, afin que l'homme devienne capable d'exercer convenablement sa profession et la femme de diriger son ménage et d'élever chrétiennement ses enfants. » Et Luther s'adresse aux hommes politiques pour cette œuvre : « C'est à vous, Seigneurs, de prendre cette œuvre en main, car, si l'on remet ce soin aux parents nous périrons cent fois avant que la chose se fasse. » Il critique ensuite l'éducation scolastique aussi vivement que les humanistes et comme premier pas il réclame que tout enfant puisse aller à l'école au moins une heure ou deux par jour.

Luther joignit l'action à la prédication et, aidé de Mélanchton, organisa les Ecoles de Saxe et de Thuringe. Son influence s'étendit ensuite au dehors. Il guida de conseils utiles les réalisations. Il protesta contre l'éducation trop sévère. « La violence ne peut pas faire aimer le maître. Cette éducation corrompt, elle fait les hypocrites, car lorsque le maître est absent, l'élève brise la férule et la jette au feu regrettant de ne pouvoir frapper son persécuteur à coups de gourdin. » L'enseignement religieux garde la première place, lié au chant ; mais il recommande aussi les sciences mathématiques et naturelles, l'histoire, la gymnastique. Par contre il s'en tient comme son temps aux langues anciennes et ignore la langue maternelle. Il faudra attendre Ratich et Coménius au xviie siècle pour voir donner le pas aux langues vivantes sur les langues mortes.

Néanmoins par l'appel constant à la connaissance directe des textes religieux, par la traduction de la Bible en langues contemporaines, par son souci d'une instruction pour tous et d'une religion, donc d'un développement plus personnel, la Réforme marque aussi l'époque nouvelle. S'il est vrai qu'en Allemagne et en Angleterre l'apparition du protestantisme fut accompagnée d'un certain déclin de l'enseignement, si la guerre de Trente ans a ruiné l'effet des innovations entreprises, cela tient à des conditions particulières, troublées et peu favorables. Si certains effets furent imprévus, tel l'appel à l'Etat pour qu'il prenne en charge l'éducation comme en certaines provinces allemandes, alors qu'en Angleterre ce furent l'Eglise et les organisations privées qui créèrent les grandes « Public Schools », l'idée était lancée et ne s'arrêtera plus. Il n'est pas jusqu'aux mesures prises par la Contre-Réforme qui ne doivent beaucoup à ce bouleversement des idées et des usages, tant il est vrai qu'on ne résiste au mouvement historique tout comme à la nature qu'en lui obéissant.

Les Collèges jésuites (1540-1773). — Un des effets du mouvement d'idées de la Renaissance et de la Réforme fut la création et le développement très rapide des Collèges jésuites dans les pays d'obédience catholique. Fallait-il en effet opposer à ce besoin de transformation et de renouveau, comme le voulait un Standonck par exemple, un refus catégorique ? L'idéal ancien d'ascétisme négatif et de renoncement, de soumission totale de la pensée à la révélation, les formes sclérosées de la culture médiévale, ne pouvaient plus y satisfaire. Se défendre par une attitude purement négative, c'était risquer de voir tout emporté par le courant nouveau, y compris la foi chrétienne. Les Jésuites le comprirent et ce fut l'œuvre d'Ignace DE LOYOLA d'amalgamer les tendances récentes à ce qu'il voulait garder de la formation médiévale.

L'Ordre des Jésuites, fondé en 1534 trouva là le moyen d'exercer sa double mission de renforcement de la papauté à laquelle il se rattachait directement et de défense de la foi catholique aussi bien contre les tendances dites néo-païennes que contre l'influence protestante. L'Ordre devint une congrégation essentiellement enseignante et servit plus que tout les exhortations du Concile de Trente (1545-1563) pour la formation de la jeunesse. Les Collèges qu'ils répandirent dans le monde crûrent rapidement en nombre ; en 1650 il y en avait déjà 372 ; quelques-uns d'entre eux reçurent jusqu'à deux mille élèves.

Leur succès tient à ce qu'ils surent reconnaître

l'aspiration nouvelle et répondre aux besoins temporels comme à leurs fins spirituelles. Ils donnaient
satisfaction au désir fort utilitaire qu'éprouvait la
bourgeoisie montante d'alors d'équiper ses fils
d'une formation qui lui paraissait indispensable.
C'est le moment en effet où, par suite de l'accession
à la puissance de la bourgeoisie libérale ou d'affaires,
on allait rechercher les lettres « tant pour les délicats
plaisirs que pour le gain et les commodités externes »
comme le note déjà Montaigne. Pour les fils de ces
bourgeois le latin et la culture étaient le moyen
d'accéder aux charges de la médecine, du barreau,
de la magistrature et des chancelleries, c'est-à-dire
avec quelque chance ou protection, la possibilité de
parvenir aux dignités les plus élevées. Le latin sur
lequel les Jésuites fondèrent toute l'éducation était
bien alors la langue internationale, universelle,
indispensable aux savants comme aux diplomates,
celle dont Bodin disait en 1559 que « pour nouer
avec l'étranger des liens de cordialité ou d'affection,
pour dresser avec lui des ententes, il était nécessaire
de savoir la langue latine qui résonne par toutes les
contrées de l'Europe ». Unissant cette utilité pratique à l'engouement théorique de l'élite intellectuelle, la société allait accueillir très favorablement
les Collèges jésuites. Et ceux-ci de leur côté surent
constituer un humanisme encore fort uni d'intention où ils associèrent étroitement à la culture
littéraire antique exigée par le temps, la formation
philosophique et théologique de l'âge précédent.
Ainsi ils sauvegardaient l'intérêt religieux et humain
auquel ils tenaient par-dessus tout.

Avec une organisation hiérarchique très centra-
lisée, pourvue à sa tête d'un général dirigeant les
provinciaux responsables de chaque province,
au-dessous desquels fonctionnaient des recteurs

de Collège soigneusement choisis, des préfets des
études et enfin des maîtres souplement dirigés,
ils purent inspirer une direction très forte à une population de professeurs voués à l'obéissance stricte
et au désintéressement absolu. Les *Constitutions*
écrites sans doute par le fondateur de l'Ordre, plus
tard le *Ratio studiorum* ou programme des études
publié en 1599, fixèrent pour deux siècles l'organisation de l'éducation jésuite.

Elle distinguait deux cycles d'études, le premier
divisé en cinq classes, trois de grammaire, une
d'humanités et une de rhétorique ; le second cycle
comprenait trois années de philosophie et quatre de
théologie. Les Collèges représentaient donc un
enseignement à la fois secondaire et supérieur,
reposant sur une large culture générale. Mais le
latin surtout était enseigné, tous les cours et mêmes
les récréations exigeant l'emploi de cette langue
morte. La langue maternelle était exclue, le grec
était moins fréquemment enseigné que le latin,
l'hébreu encore moins. De riches bibliothèques, des
établissements spécialement équipés pour telle ou
telle étude, furent créés partout où on le put.

Dans ces Collèges les élèves vivent avec leurs
maîtres et restent surveillés et dirigés partout par
des « scolastiques » sortes de surveillants directeurs
qui deviennent souvent ensuite des maîtres, faisant
ainsi l'apprentissage de leur métier. Tout un système de récitations, compositions, « disputes » (ou
débats), de concours et de prix, « d'académies » où
se livrent des joutes d'éloquence, de représentations
dramatiques devant un public, était destiné à provoquer l'émulation et l'activité des élèves. Ceux-ci
groupés par deux, chacun ayant dans son parte-
naire un rival, sous l'autorité de *décurions*, c'est-à-
dire de responsables de groupes auxquels ils réci-

taient leurs leçons, étaient constamment stimulés et tenus en haleine. Des leçons courtes, très graduées, avec des révisions fréquentes, quotidiennes, mensuelles, trimestrielles, annuelles, beaucoup de répétition orale, un grand emploi du thème court, tels sont les procédés qu'inventèrent les Jésuites et dont nous avons souvent hérité. Une discipline sévère quant à l'esprit mais qui recommandait d'employer « avec la plus grande modération les punitions corporelles », une forte action morale et religieuse, un désir de faire aimer l'étude et d'agir sur les jeunes gens par l'affection et l'ascendant moral, tels étaient les principes qui animèrent cette éducation.

Son influence sur la formation française au XVIIe et au XVIIIe siècles fut très grande. La culture classique qui va s'imposer pour deux cents ans avec son idéal de l'homme abstrait et général, le même à travers tous les temps et tous les pays, sa doctrine esthétique et pédagogique de l'imitation, est plus ou moins son œuvre. Nombre d'écrivains de Descartes à Bossuet, de Molière à Voltaire, Diderot, Condorcet et Joseph de Maistre, ont été formés par elle. Sa permanence, puisqu'il faudra attendre 1832 pour avoir une première réforme du *Ratio*, la fera sentir de plus en plus comme une formation étroite, trop exclusivement littéraire, antique et basée sur un idéal de dépendance intellectuelle, de soumission aux concepts adultes qui ne favorise pas l'épanouissement de l'être. L'évolution spirituelle du monde en dehors d'elle, les circonstances politiques, la rendirent peu à peu étrangère aux transformations profondes de la pensée et de la vie. Les adversaires des Jésuites de plus en plus nombreux obtinrent du Pape en 1773 un ordre de dispersion. Ils reviendront en 1814 et s'adapteront aux exigences modernes.

Chapitre VI

L'ÉDUCATION
AUX XVIIᵉ ET XVIIIᵉ SIÈCLES

L'éducation élémentaire. — Malgré les tentatives de l'Eglise, l'éducation reste au XVIIᵉ et au XVIIIᵉ siècles une éducation aristocratique limitée à un petit nombre de bénéficiaires. Calquée sur le régime politique et économique, elle ignore le plus souvent le peuple ou ne lui offre qu'une formation extrêmement limitée qu'on ne saurait qualifier de culture. Cet enseignement rudimentaire est donné dans les écoles qui se développèrent autour des paroisses pour former des enfants de chœur et enseigner le chant d'église comme dans les maîtrises et surtout pour former religieusement la jeunesse. Toujours dans les mains de l'Eglise et subordonnée à la religion, elle est un instrument puissant de formation des âmes. Envisagée comme une obligation de charité, elle reste essentiellement une œuvre de charité. Elle continue à être soumise à l'autorité ecclésiastique qui choisit les maîtres, contrôle leur enseignement et leur assigne une responsabilité spirituelle.

Telles sont les écoles dites de charité, c'est-à-dire gratuites, dépendantes des paroisses, organisées par les communes ou grâce à quelque fondation bienfaisante, qui se développèrent pourtant peu à peu au cours de ces siècles. Les maîtres qui y ensei-

gnaient devaient être approuvés par l'écolâtre désigné par l'évêque et avoir satisfait à un examen por-
tant surtout sur le chant, la lecture, l'écriture et les
éléments du calcul. Souvent médiocrement instruits eux-mêmes, mal rétribués par un casuel dû
pour leur service à l'Eglise ou par un traitement
payé par la commune, installés dans des bâtisses de
fortune, obligés généralement de cumuler d'autres
fonctions avec leur fonction enseignante, ils vivaient dans une situation fort dépendante et toujours
fort précaire. Leur nombre variait beaucoup selon
les régions et selon les époques ; certaines provinces
de France, calcule-t-on, n'avaient pas une école par
vingt villages. D'autres régions, et les villes surtout,
étaient plus favorisées.

En général l'école ne se distinguait pas des autres
maisons du village si ce n'est par une enseigne :
« Céans, pouvait-on y lire, on tient Petites Ecoles,
X... enseigne à la jeunesse le service (entendez le service divin), à lire, écrire, former les lettres, la grammaire, l'arithmétique ou le calcul, tant au jet qu'à la
plume. » Le maître pouvait être assez considéré ;
il avait rang après le prêtre. L'enseignement était
souvent par nécessité individuel. La discipline était
sévère en principe et usait des châtiments corporels.
« Enseignez les enfants à être bien obéissants à leurs
pères et mères, à leurs maîtres, à leurs supérieurs et
à tout le monde » disait le règlement.

En dehors de l'exemple que constituent les Petites
Ecoles de Port-Royal dont nous parlerons plus loin,
il faut attendre la fin du XVIIe siècle pour voir donner
une impulsion particulière à l'enseignement popu-
laire. Ce fut l'œuvre des *Frères de la Doctrine Chrétienne*, institution créée en 1684 par Jean-Baptiste
DE LA SALLE. Le but de cet ordre était de créer des
écoles pour les enfants des classes laborieuses. Pour

cela son fondateur ouvrit à Reims un séminaire pour former des maîtres d'écoles pour les campagnes. Il en fonde un autre à Paris et y adjoint une école d'application où les futurs maîtres acquièrent la pratique de leur métier. Enfin il organise près de Rouen une sorte d'enseignement professionnel préparant aux emplois du commerce et de l'industrie — toutes initiatives dignes de considération.

Cet enseignement populaire embrassait la lecture, l'écriture, l'orthographe, l'arithmétique et le catéchisme — le but religieux étant toujours le principal. Le latin enseigné par les Psaumes était réservé à ceux qui avaient acquis d'abord la connaissance du français. La discipline acceptait et réglementait les punitions de la réprimande à la férule. Elle admettait l'espionnage et la dénonciation mutuelle des élèves. Elle exigeait le silence et surtout substituait la formation collective à l'enseignement individuel en la combinant avec l'enseignement mutuel où les élèves les plus doués répètent la leçon magistrale à leurs camarades moins doués. Une quantité de fonctions et de titres allant du décurion à l'empereur, du récitateur de prières aux répétiteurs, visaient à aider le maître dans sa tâche. Ces écoles se répandront en France et dans le monde; mais en 1790 elles ne touchaient que trente-cinq mille élèves.

A l'étranger l'enseignement élémentaire relève aussi de la charité. C'est le cas en Angleterre par exemple où l'on voit se fonder un mouvement « l'Ecole de charité paroissiale » qui répond aux mêmes besoins. En Allemagne le piétiste Francke crée aussi une Ecole des pauvres.

Le xviiie siècle avec les bouleversements économiques qu'il apporte, l'apparition de l'industrie, le développement des manufactures qui emploient de plus en plus d'ouvriers et spécialisent le travail,

posera de nouveaux problèmes. L'industrie **tendra**
à employer de plus en plus l'enfant comme **main-**
d'œuvre à bon marché. Aussi verra-t-on Locke **en**
Angleterre demander l'établissement dans **chaque**
paroisse d'une Ecole de travail pour les **enfants**
pauvres. Ainsi naissait peu à peu l'idée d'un **ensei-**
gnement professionnel. Mais, malgré tous ces **efforts,**
nous sommes encore loin du temps où l'on **pourra**
concevoir l'éducation comme un droit et non **plus**
comme une charité pour l'enfant.

L'éducation secondaire. — Ce qu'on peut **appeler**
l'éducation secondaire reste au XVIIe et au XVIIIe siècles limité à un assez petit nombre de privilégiés **et**
au même vieux concept humaniste à base de **latin.**
Par une véritable anomalie historique le **terme**
d'humanisme qui devrait étymologiquement **em-**
brasser tout ce qui est de l'homme et tout ce qui **peut**
révéler l'esprit de l'homme, s'en est tenu des **siècles**
durant aux seules humanités classiques et à **une**
conception purement littéraire de la formation. **Cet**
étriquement de la culture, explicable peut-être **au**
moment où l'héritage culturel ne comprenait **guère**
que l'apport gréco-latin — encore avons-nous **noté**
qu'il l'amputait de tout l'élément **scientifique**
grec — s'est aggravé au fur et à mesure que se développaient les littératures nationales et les **sciences**
modernes. Qu'on ne pensât point à utiliser **pour**
l'éducation de la jeunesse ces grandes œuvres que **le**
XVIe siècle et le XVIIe accumulaient, qu'on négligeât
les acquisitions grandissantes de la science **depuis**
la Renaissance, voilà qui condamne **l'immobilité**
satisfaite de l'humanisme établi. Or, le XVIIe **siècle**
est le grand siècle de la littérature française et il **est**
plus encore le siècle de la science ; encadré **par**
Képler et Newton, influencé par Descartes, **il**
apporta les transformations les plus profondes à **la**

pensée et à ses méthodes. Mais c'est en vain que l'astronomie, la médecine, les mathématiques, la physique ont fait des bonds de géant avec Galilée, Képler, Harvey, Vesale, Descartes, Pascal, Toricelli, Mariotte, etc., et que l'on commence à élaborer la méthode expérimentale qui changera si puissamment notre capacité de comprendre le monde et d'agir sur lui. L'éducation s'en tient obstinément à l'horizon latin et à l'esprit antique dont la valeur est bien d'être initiale, mais non pas définitive, arrêtée dans son mouvement de création ou tournée uniquement vers le passé. C'est à une caricature même de ce génie grec qu'elle conduit, car sa force d'invention en constitue bien la plus précieuse valeur.

En fait la primauté du latin dans les Collèges est telle qu'on ne connaît que lui. Il accapare tout l'horaire ; au XVIIIe siècle encore on se défie du français et le P. Jouvancy recommande de ne pas s'adonner à la langue maternelle, car c'est à ses yeux « se rendre très coupable si, séduit par le charme de la langue française, ou rebuté par le travail d'une étude plus sérieuse, on y emploie le temps que la Société (des Jésuites) destine à apprendre des langues plus difficiles et nécessaires ». Et quand le bon Rollin écrira en français — ce dont il s'excuse — son *Traité des études* en 1728, c'est à peine s'il osera permettre d'employer « une demi-heure chaque jour, ou au moins de deux jours l'un, à l'étude de la langue du pays ». Ce retard excessif du contenu de l'éducation sur les ressources qu'offre l'évolution de la pensée, de l'art et de la science, s'explique peut-être par la prudence de l'école à accueillir les valeurs nouvelles et par le conservatisme inné de l'éducation qui est d'abord une force de tradition chargée de transmettre l'héritage du passé. Il passe toute limite quand il retarde pareillement

sur le cours de l'histoire et coupe l'école de la vie
au lieu de préparer l'individu à résoudre les problèmes de son temps.

Aussi les protestations contre cet idéal périmé ne
cessent de grandir. En Angleterre, c'est BACON
d'abord (1561-1626) qui, dans la *Restauration des
sciences*, proclame la valeur du réel et de l'étude de
la nature. Il critique les conceptions de l'humanisme
qui enseigne les mots au lieu des choses et qui ne
forme au fond que des écrivains ou des parleurs.
« Habitués dès la jeunesse à placer les mots au lieu
des choses, à les employer pour être compris de chacun, nous les prenons involontairement pour elles,
nous prenons le signe de la chose pour celle-ci. Et cependant les mots ne nous disent nullement ce que les
choses sont, ils les annoncent simplement. Seule
l'observation et l'expérience conduisent à la vraie
connaissance. » Il pressent en quelque façon le
parti que l'on peut tirer pour la formation même de
l'esprit de l'observation directe des choses, de l'expérience rationnellement dirigée et de la méthode
inductive que se forgent les sciences de la nature.

De même DESCARTES en France fait le procès
de l'éducation de son temps et de celle des Jésuites
dont il avait été l'élève au Collège de La Flèche. Il
marque les limites du raisonnement déductif, dont
le syllogisme aimé du moyen-âge est le type. Les
principes de la méthode qu'il définit « ne recevoir jamais aucune chose pour vraie que je ne la reconnaisse
évidemment être telle, diviser la difficulté en autant de parties qu'il convient pour la mieux résoudre,
conduire les pensées par ordre des plus simples et
des plus faciles aux plus composées », la foi dans la
raison et l'expérience bien dirigée mettent fin à la
méthode d'autorité et ouvrent l'ère de la science et
de la philosophie modernes. Le doute, la libre re-

cherche, les exigences de la méthode vont devenir
des instruments puissants de critique mais aussi de
formation de l'esprit. Descartes prouve surabondam-
ment que c'est la méthode qui importe beaucoup
plus que les connaissances, la marche vers la vérité
plus que la vérité. Après lui l'esprit va s'appliquer au
monde de la nature et dans cet effort mieux se
révéler à lui-même. Les éléments d'un humanisme
scientifique sont posés ainsi. Notre âge n'a pas fini
de les réunir en une synthèse ordonnée.

Le Morave COMÉNIUS (1592-1671) ne se contenta
pas de critiquer, il énonça les principes d'une pédagogie et d'un humanisme nouveaux et en ce sens il
peut être considéré comme un précurseur. « Pourquoi, écrit-il, à la place des livres morts n'ouvri-
rions-nous pas le livre vivant de la nature ?... Instruire la jeunesse, ce n'est pas lui inculquer un amas
de mots, de phrases, de sentences, d'opinions
recueillies dans les auteurs, c'est lui ouvrir l'entende-
ment par les choses. » Il préconise la méthode in-
tuitive, l'étude de la grammaire par les exemples et
par l'usage, et non par des règles abstraites ; il proclame le principe d'une éducation élémentaire pour
tous les enfants, riches ou pauvres, nobles, bourgeois
ou paysans. Et pour lui la base de cette éducation
ne peut être que la langue maternelle. Il recule
l'étude du latin pour ceux qui l'entreprendront jusqu'à douze ans sous prétexte que « la plupart de
ceux qui s'adonnaient aux lettres s'envieillissaient
en l'étude des mots et mettaient dix ans et davantage à l'étude de la seule langue latine, voire même
y employaient toute leur vie, avec un avancement
fort lent et fort petit et qui ne répondait pas à la
peine qu'on y prenait ». Enfin — et le principe
était riche d'avenir — il recommandait une éducation de l'être tout entier et voulait qu'on suive

l'ordre naturel du développement des facultés.

Dans l'ensemble ces vues de théoriciens ou de précurseurs ne furent pas suivies. Pourtant à deux reprises en France on avait donné l'exemple. Au début du XVIIe siècle les *Oratoriens*, dans leurs écoles rivales des Collèges jésuites (ils en avaient déjà cent cinquante en 1629 et ils en auront deux cent cinquante au siècle suivant) avaient fait une grande place au français, admis dans les trois premières années d'études et dans l'enseignement de toutes les matières autres que le latin, ainsi qu'à l'histoire, à la géographie et enfin aux sciences tenues en grande estime chez eux. Le P. Lamy n'écrivait-il pas : « C'est un plaisir d'entrer dans le laboratoire d'un chimiste. Dans les lieux où je me suis trouvé, je ne manquais point d'assister aux discours anatomiques qui se faisaient, de voir les dissections des principales parties du corps humain... Je ne conçois rien d'un plus grand usage que l'algèbre et l'arithmétique. » Leur philosophie enfin avait subi fortement l'influence du cartésianisme.

Au milieu du XVIIe siècle les *Jansénistes*, suivant une inspiration voisine, ne dédaignent pas dans leurs Petites *Ecoles de Port-Royal* de s'occuper de la première éducation et ils font précéder l'étude du latin de celle de la langue maternelle. Ils usent pour cela d'exercices en français tels que petits dialogues, narrations ou histoires, lettres. L'un de leurs maîtres, Lancelot, écrit en français une méthode pour apprendre le latin. Ils étudient sérieusement le grec et même les langues vivantes. Ils visent surtout à une formation de l'intelligence et du caractère. En latin même ils donnent le pas à la version sur le thème. Et ils sentent la vraie valeur de la science qui n'est pas tant dans les connaissances ou les résultats qu'elle peut donner que dans la formation méthodologique

qu'elle permet. Loin de reprocher à Nicole sa formule : « ne se servir des sciences que comme d'un
instrument pour perfectionner la raison », il faut au
contraire l'en louer et en tirer encore aujourd'hui les
conséquences qu'il convient. D'ailleurs, comme
beaucoup d'Oratoriens, les maîtres jansénistes sont
marqués de la philosophie cartésienne. Et en cela
aussi ils diffèrent profondément des Jésuites ou des
maîtres des Universités fort en retard sur leur temps.
Par contre leur conception janséniste de la nature
humaine leur fait garder sur le plan de la discipline,
de la morale et des rapports sociaux, une attitude
fort négative et un pessimisme outrancier.

Malheureusement ces initiatives ne furent que
des exceptions. Les Ecoles de Port-Royal furent
fermées par la persécution dès 1661 ; la preu-
ve de la stagnation, nous la trouvons dans le fait
que les critiques qui se font jour après les années 1750 répètent les mêmes accusations. C'est
LA CHALOTAIS, dans son *Essai d'Education nationale*
qui écrit encore en 1763 : « Il est honteux que dans
une éducation de France on néglige la littérature
française comme si nous n'avions pas de modèles
dans notre langue. » Et le projet de règlement des
études, rédigé après l'expulsion des Jésuites, constate la même négligence ; on ajoute qu'on échoue de
plus en plus même dans l'enseignement des langues
mortes qui ne sont pourtant que des instruments.
Diderot, d'accord avec La Chalotais, écrira : « C'est
là qu'on étudie encore sous le nom de belles-lettres
deux langues mortes qui ne sont utiles qu'à un très
petit nombre de citoyens ; c'est là qu'on les étudie
pendant six à sept ans sans les apprendre, que sous
le nom de rhétorique, on enseigne l'art de parler
avant de penser et celui de bien dire avant d'avoir
des idées. « Evidemment, quoi qu'on puisse dire sur

les dangers d'un utilitarisme étroit, le temps n'est
plus où le latin avait son utilité pratique et pouvait
exercer sa pleine action culturelle sur les esprits. Et
pourtant il occupait encore toute la place ; il béné-
ficiait de la situation privilégiée qui lui avait été
faite lorsqu'il représentait à la fois toute la culture
et son unique instrument. Les temps vont venir où
d'autres disciplines la lui disputeront franchement.

Cependant on ne résiste pas impunément aux
courants de l'histoire et aux besoins nouveaux. Aussi
le XVIIIe siècle voit-il l'assaut des valeurs nouvelles
qui tentent de s'introduire dans l'édifice culturel.
Et il serait injuste de méconnaître les novations
qui se manifestent çà et là ; au temps où les plus
avertis bataillaient pour Newton, le cartésianisme
s'infiltre. La préface des *éléments de géométrie*
de Rivard en 1732 nous avertit que l'usage s'introduit d'expliquer les éléments des mathématiques
dans la classe de philosophie mais que l'étendue
des autres parties du programme resserre dans
l'espace de trois ou quatre mois le temps qu'on
peut leur donner. Dans la seconde partie du
XVIIIe siècle des ouvrages comme *Le Spectacle de
la nature* de l'abbé Pluche et les *Leçons de physique
expérimentale* de l'abbé Nollet pénètrent dans certains Collèges. Mais dans l'ensemble on s'en tient
à ce qu'on appelle la physique générale, c'est-à-dire
aux « disputes sur les éléments de la nature et sur
les systèmes du monde ». C'est dire que l'esprit
scientifique est encore absent de cet enseignement.

L'enseignement supérieur. — Pendant ce temps
l'Université se contentait de subir les contre-coups
des transformations extérieures ou de leur résister.
C'est du roi qu'en 1600 elle avait reçu ses statuts
qui la divisaient en quatre facultés : théologie, droit,
médecine et arts. Conformément aux vues de la

Renaissance elle avait dû introduire les auteurs classiques, mais elle persistait à ignorer la langue française et à garder inchangées ses vieilles méthodes. Tout au long du XVIIᵉ siècle elle s'en tenait obstinément à Aristote et condamnait les doctrines cartésiennes. Aussi les Universités végétèrent-elles de plus en plus quand prospéraient les Collèges jésuites et c'est en marge d'elles que se fit toute l'activité intellectuelle et scientifique du temps. En effet, à côté des Universités traditionnelles, fermées au mouvement de l'histoire, se créèrent au XVIIᵉ siècle des Académies scientifiques qui semblèrent accaparer toute la vie. Ce furent entre autres à Rome l'Académie des Lincei, en Angleterre la célèbre Académie Royale fondée en 1645, en France l'Académie des Sciences créée sous le patronage de Colbert en 1666 ; en 1700 l'Académie de Berlin réalisait une des ambitions de Leibnitz.

L'éducation des filles. — La femme, parquée dans un certain rôle social selon des conceptions séculaires, et généralement exclue de toute autre activité que les activités ménagères et domestiques, ne participait pas, nous l'avons vu, à une véritable éducation. Si l'on s'en était occupé bien des fois depuis saint Jérôme (avec les *Lettres à Paula*) jusqu'aux Ecoles protestantes ou jansénistes, c'était surtout d'un point de vue religieux. Le XVIIᵉ et le XVIIIᵉ siècles montrent pour la première fois un souci, non seulement théorique mais aussi pratique, de l'éducation des filles. On le voit dans les œuvres de Fénelon telles que *L'Education des filles* (1680) qui témoigne d'une plus grande confiance dans la nature humaine et dans l'attrait de l'éducation mais qui reste timide devant les possibilités du développement féminin. Cependant, opposé à l'usage qui enferme la jeune fille dans les couvents mondains

où elle croît dans une profonde ignorance du siècle et
d'où elle sort comme une personne qu'on aurait enfermée dans les ténèbres d'une caverne et qui paraît
tout d'un coup au grand jour, il veut qu'on ouvre
son éducation à la lumière du monde et qu'on la prépare mieux à sa vie. Il admet qu'on recoure pour
la former non seulement à la lecture et à l'écriture
mais aussi à la grammaire, à l'histoire ancienne et
moderne, à la bonne littérature et aux arts, à l'exception de la musique qui donne lieu selon lui à des
divertissements empoisonnés. Et pour l'étude il
conseille une pédagogie de l'intérêt. « Montrer toujours un but solide et agréable qui soutienne le
travail, mêler l'instruction et le jeu, laisser la vue de
l'élève se promener un peu et se mettre au large »,
ce sont là des préceptes nouveaux et, si timorées que
puissent paraître telles ou telles de ses conceptions,
elles représentent un réel progrès.

Fénelon put appliquer ses principes à la direction
du couvent des *Nouvelles catholiques.* D'autres institutions répondirent à ce souci, telle *la Maison
de Saint-Cyr* fondée par Mme DE MAINTENON en
1686 pour l'éducation des jeunes filles pauvres de
la noblesse ou pour les enfants d'officiers morts
ou ruinés. Mais ici encore la formation intellectuelle
est fort limitée et si on y emploie le travail manuel,
c'est pour respecter la destination naturelle de
la jeune fille. Et surtout l'expérience était limitée
à quelque deux cent cinquante bénéficiaires. La
femme a-t-elle droit à tout le développement dont
elle est capable — ce qui ne veut pas dire forcément
à un développement en contradiction avec sa nature
ou sa fonction sociale ? La question n'est pas
encore posée.

Chapitre VII

LA RÉVOLUTION PÉDAGOGIQUE

L'éducation moderne dans sa conception est née de la conjonction d'un certain nombre d'événements économiques, sociaux, politiques et moraux, où la Révolution de 1789 n'a pas joué le rôle le moins important. Car elle a procédé à la transformation la plus radicale qui soit, en changeant les maîtres et par conséquent la tradition qui inspirait jusque-là l'éducation. Mais son action immédiate a été assez éphémère, puisqu'elle a été rapidement suivie d'une réaction qui a ramené le passé mais non tout entier. Encore inachevée, elle se reconnaît pourtant dans toutes les mesures qui ont été prises ensuite tout au long du xixe siècle et au début du xxe.

Les prédécesseurs. — Maints courants se sont unis pour détruire non pas la tradition — car il est une tradition féconde — mais la servilité et la sclérose de la tradition. Pour en estimer l'ampleur et la variété, il faudrait analyser toute la série des causes qui ont pu agir sur cette transformation. Les rapports nouveaux des classes sociales qui vont porter à l'avant-scène de l'histoire des couches de plus en plus larges de la nation, la bourgeoisie, puis l'élite populaire, l'évolution de la vie économique et pratique qui avec la civilisation technique et démocratique vont exiger la formation de tous les individus, la transformation concomitante des idées et des mœurs ou des institutions, le développement extraordinaire de la science, le rationalisme universel qui fait de la raison l'instrument commun et égal de tous les hommes, l'efficacité croissante du pouvoir de l'homme sur le monde, l'idée d'unité nationale et bientôt après l'universalisme de plus en plus évident de l'action et de la pensée humaines, changent peu à peu l'idée qu'on se fait de l'homme et des rapports humains et par conséquent aussi celle de l'éducation, de ses buts et de ses méthodes. Toutes ces idées viennent de loin et avouent bien des ancêtres. Elles n'éclatent qu'au moment où, presque malgré lui, l'homme se trouve lancé dans l'aventure la plus passionnante qui soit et peut-être aussi la plus dangereuse.

(À la fin du XVIIIe siècle, trois courants agissent puissamment sur les esprits. Le premier est celui de la philosophie sensualiste dont l'origine remonte au philosophe et pédagogue anglais LOCKE (1632-1704) qui conçoit l'esprit comme une table rase et la sensation comme le point de départ de toute notion. Selon cette doctrine, les idées, et par conséquent le savoir, ne peuvent venir que des perceptions fournies par les sens et de plus en plus élaborées ; les vertus ou capacités peuvent être développées du dehors par la formation d'habitudes. « La conséquence naturelle de ce système, écrit Guex, était l'enseignement par les choses, l'observation directe et l'expérience comme point de départ de toute étude, la condamnation du verbiage et de l'étude des mots sans les choses, et quant à la méthode, l'abandon de la méthode déductive ou d'exposition ininterrompue. » L'éducation doit s'appuyer sur la curiosité « qui recherche les connaissances et qui est l'instrument principal fourni par la nature pour écarter l'ignorance native ». Les idées de Locke agiront sur presque tous les éducateurs novateurs, même sur ceux qui n'accepteront pas sa position philosophique ; car il est certain qu'elles ne sont pas obligatoirement impliquées par les pratiques nouvelles.)Mais l'école de psychologie empiriste aura de nombreux représentants le siècle suivant parmi lesquels Condillac en France et Herbart en Allemagne.

(Jean-Jacques Rousseau lui-même (1712-1778) qui est la source du second courant, le plus important et le plus intéressant, s'en inspirera sur bien des points mais élargira grandement son point de vue et dépassera étonnamment son temps. Dans son célèbre *Emile* (1762) le plus profond de ses ouvrages à son propre avis et celui qui lui valut la condamnation et l'exil, il a posé les fondements indestructibles de l'éducation conformément à la psychologie et à la nature. Il a ramené l'attention et l'effort de l'éducateur, des matières, des connaissances ou des idéaux à enseigner, sur l'être qui doit en être le bénéficiaire, c'est-à-dire sur l'enfant. Il est donc bien le responsable et l'auteur de cette sorte de révolution copernicienne de l'éducation qui a placé l'enfant, et l'enfant comme individu, au centre de toutes les considérations pédagogiques comme la révolution astronomique avait mis le soleil et non la terre au centre des mouvements planétaires. Et par là il annonce non seulement la science de l'enfant et la promotion de la psychologie de l'enfant au rang d'auxiliaire précieuse de la pédagogie ; mais il pose aussi la notion d'une exigence propre de la nature de chaque enfant et de la nature humaine en général au-dessus de toutes les pressions que la société ou les générations adultes s'arrogent le droit d'exercer sur lui. C'est là son sens profond et toutes les critiques qu'on a pu émettre contre lui, les accusations de rêverie utopique et irréalisable portées contre son système sont à côté de la question.)Lui-même les a réfutées à l'avance dès la première page de son livre qui nous en révèle l'intention essentielle : « On ne connaît point l'enfance : sur les fausses idées qu'on en a, plus on va, plus on s'égare. Les plus sages s'attachent à ce qu'il importe aux hommes de savoir, sans considérer ce que les enfants sont en état d'apprendre. Ils cherchent toujours l'homme dans l'enfant, sans penser à ce qu'il est avant d'être homme. *Voilà l'étude à laquelle je me suis le plus appliqué, afin que, quand toute ma méthode serait chimérique et fausse, on pût toujours profiter des mes observations.* Je puis avoir très mal vu ce qu'il faut faire, mais je crois avoir bien vu le sujet sur lequel on doit opérer. *Commencez donc par mieux étudier vos élèves ; car très assurément vous ne les connaissez point ; or si vous lisez ce livre dans cette vue, je ne le crois pas sans utilité pour vous.* »(En fait il faut savoir gré à J.-J. Rousseau d'avoir par son intuition géniale découvert un grand nombre des lois psychologiques que la science découvrira plus lourdement mais plus sûrement cent cinquante ans plus tard.)

(Il faut comprendre tout Rousseau à la lumière de cette intention. C'est parce qu'une éducation ne peut être efficace que si elle part de la nature positive de l'enfant pour agir sur elle, qu'elle doit s'évertuer à la connaître, à la laisser se manifester, à écarter d'elle autant que possible les actions purement contraignantes, les sciences toutes faites, les habitudes inspirées par une société fort éloignée de la loi naturelle. Pour la même raison elle respectera l'ordre de développement naturel des activités, des facultés, des intérêts de l'enfant); car il est vain d'en modifier la hiérarchie ou d'en précipiter le développement. (Développer toutes les puissances naturelles de l'enfant, c'est s'assurer de lui donner le développement maximum dont il est capable. « L'intérêt

présent, voilà le grand mobile, le seul qui mène sûrement et loin », pourvu que le maître sache pleinement l'exploiter et l'étendre. Aussi les meilleures
réalisations sont-elles celles dont l'enfant est le propre réalisateur, les meilleures connaissances et les
plus durables, celles dont il est le propre construc-
teur, le maître ayant le choix des circonstances où il
peut le placer pour mieux provoquer sa curiosité,
son attention, ses efforts. Car J.-J. Rousseau, con-
trairement à ce qu'on dit parfois n'est pas le parti-
san de la facilité. « Pour qu'un enfant s'accoutume à
être attentif, écrit-il, et qu'il soit bien frappé de
quelque vérité sensible, il faut qu'elle lui donne
quelques jours d'inquiétude avant de la découvrir. »

L'observation de l'enfant nous révèle qu'il n'est
pas, comme on dira plus tard, un adulte en minia-
ture, ni un raccourci d'adulte qu'il n'y aurait qu'à
traiter le plus vite possible selon les procédés, l'ordre et les intérêts conçus par l'adulte ; mais « l'enfant a une nature qui lui est propre ; chaque âge a
ses ressorts qui le font mouvoir ». Le mieux qu'on
puisse faire est d'exploiter les tendances de cet âge
voulu par la nature. « On se plaint de l'état de l'enfance ; on ne voit pas que la race eût péri si l'homme
n'eût commencé par être enfant. » Utiliser ce désir
de croissance de l'être, c'est agir le plus efficacement
possible. Tout le reste qui vient du dehors, intervention abusive ou contrainte imposée, est faux sem-
blant et duperie. Ainsi la discipline non acceptée ni
franchement voulue ou les stimulants extérieurs de
l'émulation ou des punitions. Ils ne changent pas
l'être réel ; bien plus ils le pervertissent. « Il est bien
étrange que, depuis qu'on se mêle d'élever les enfants, on n'ait imaginé d'autre instrument pour les
conduire que l'émulation, la jalousie, l'envie, la
vanité, la vile crainte, toutes les passions les plus

dangereuses, les plus promptes à fermenter et les
plus propres à corrompre l'âme, même avant que le
corps soit formé..)On a essayé tous les instruments,
hors un, le seul précisément qui puisse réussir, la
liberté bien réglée... Car il ne faut pas confondre la
licence avec la liberté. Comment concevrais-je qu'un
enfant ainsi dominé par la colère et dévoré par les
passions les plus irascibles puisse jamais être heureux ? Heureux lui ? C'est un despote, c'est à la fois
le plus vil des esclaves et la plus misérable des créa-
tures. »

(Car cette éducation est tout aussi fortement sociale qu'elle est individuelle et respecte profondément l'individualité de l'enfant. Emile est destiné
à être bon citoyen, bon père de famille, bon travail-
leur. Sa fin est dans la société autant qu'en lui-
même. Et sa religion est une religion sociale, inspirant
l'amour fraternel, la conscience des devoirs individuels et sociaux, le respect de la dignité souveraine
de l'homme.)

Rousseau n'a pas seulement contribué à réformer
l'emmaillotement des enfants et à prôner l'allai-
tement maternel ; il a exprimé nombre d'idées qui
n'ont pas fini de faire leur chemin. Par exemple
l'idée que l'école doit préparer à la vie :« vivre c'est
le métier que je veux apprendre à Emile » écrit-il.(Il
donne à l'éducation ses trois sources, alors qu'on n'en
connaissait guère qu'une : la nature, les hommes et
les livres. Il donne à ces derniers leur vraie place,
qui n'est pas avant mais après l'expérience, de même
que l'abstraction doit partir du concret, du réel ;
sinon les mots ne peuvent faire qu'illusion et il
vaut mieux ne pas savoir que s'imaginer savoir)Il
préfigure la méthode active. Il admet les sanctions
naturelles. Condamné par l'archevêque de Paris,
brûlé en effigie par le Parlement, ce livre n'a cessé

d'agir sur le monde. Ce n'est pas pour rien que la
Convention fera ramener les cendres de son auteur,
mort proscrit, au Panthéon, et que l'Institut célèbre
de psychologie et de pédagogie de Genève prendra
son nom.

(Rousseau n'a été qu'un théoricien génial ; mais
il inspirera maints penseurs ou réalisateurs comme
Kant qui écrira dans son *Traité de pédagogie* :« Le
meilleur moyen de comprendre, c'est de faire. Ce
que l'on apprend le plus solidement, c'est ce qu'on
apprend en quelque sorte par soi-même. » Il rêvera
aussi d'une éducation « non en vue de l'état présent
de la société, mais en vue d'un état meilleur, possible
dans l'avenir ». De même les Philanthropes en Allemagne parmi lesquels Basedow lui prendront beaucoup. Mais surtout le touchant éducateur suisse,
H. PESTALOZZI (1746-1827) dans son école d'Yver-
don travaillera dans son sillage et basera d'une façon
encore plus explicite l'éducation sur la psychologie
attentive, aimante des enfants.) Voué à élever des
enfants des classes les plus pauvres, des mendiants
ou des orphelins, il voudrait rendre l'éducation élémentaire universelle. Il lui assigne comme but de
conduire l'enfant à la vraie humanité. Il établit
qu'une action éducatrice véritable ne peut pas venir
du dehors mais procéder seulement du dedans, de la
croissance intime de l'être ; une connaissance pré-
cise de l'esprit et de son évolution, devrait donc
permettre de mieux définir les méthodes à employer
pas à pas. Pour lui aussi l'observation, la perception
sensorielle est la base du savoir ; l'instruction doit
donc commencer avec l'expérience immédiate de
l'enfant, par l'étude du milieu environnant, puis être
reliée avec le langage. L'intuition en est le principe
absolu. De même l'expérience, les faits concrets,
l'exercice pratique des bonnes habitudes et des ver-

tus, seront la base de la morale, morale vécue avant même d'être connue. Et n'est-ce pas là le plus difficile et la seule chose qui compte dans ce domaine ? Ainsi la plus large place est faite à l'activité spontanée et à l'expression ; on lie aux activités pratiques du milieu scolaire, aux objets et aux expériences faites, les travaux d'expression ou de calcul. L'ordre rationnel de la connaissance n'est-il pas de procéder du prochain au lointain, de l'expérience et de l'observation du milieu où vit l'enfant pour s'étendre concentriquement de la façon la plus large possible ? Mais l'exposé de principes abstraits ne saurait rendre ce qui fut l'essentiel de cette pédagogie : l'amour de l'enfant qui l'anime, le total dévouement de cet homme qui fut la proie des enfants. Mais la vocation n'est-elle pas en éducation plus que partout ailleurs la condition de l'efficacité ?

Rousseau avait donné un métier à Emile, marquant par là la valeur non seulement sociale mais aussi intellectuelle et morale du travail. *Les Encyclopédistes*, qui représentent le troisième courant de la pensée prérévolutionnaire, rendront toute la considération qu'ils méritent aux métiers et aux techniques lentement élaborés par l'ingéniosité humaine, puis brusquement développés à partir de l'introduction du machinisme dans l'industrie textile d'abord, puis dans toutes les utilisations de la machine à vapeur conçue par Denis Papin (1690) et perfectionnée par Watt (1775). En quelque façon ils ont prélude à la découverte et à l'élaboration d'un humanisme technique indispensable à l'élite active de la nation mais aussi à la masse de ceux qui sont destinés par nature et par nécessité sociale à des activités manuelles ou professionnelles. L'Encyclopédie « dictionnaire raisonné des sciences, des arts et des métiers » (1751-1772) rend aux arts mécaniques toute leur dignité. Grâce aux Encyclopédistes et aux philosophes du siècle des lumières, des attitudes nouvelles se font jour. L'utilitarisme terre à terre les inspire souvent et le danger sera d'asservir l'individu au métier et l'esprit à la technique au lieu de les dominer. Mais il fallait commencer par là avant de voir l'exigence de culture générale ou de solidarité sociale dans les travaux manuels comme dans les métiers. Diderot réclame la priorité pour les sciences parce qu'il faut à l'Etat des poètes, des historiens, des philosophes, des critiques de goût, mais on n'aura jamais assez d'ingénieurs, d'agriculteurs, d'économistes, de techniciens ; et il discerne la valeur formatrice des sciences et pressent la possibilité d'un humanisme fondé sur les techniques des sciences. Il dénonce l'uniformité de l'éducation traditionnelle et le passage des enfants si divers par le même moule. « Nous voulons que les nôtres, sortis si divers des mains de la nature, restent divers. » Il donne à Catherine de Russie des conseils pratiques comme celui d'enseigner l'histoire en remontant du présent au passé.

Autre nouveauté : on revendique pour la nation le « droit inaliénable et imprescriptible d'instruire ses membres». Et cela annonce l'affirmation de Danton dans les débats de la Révolution sur l'enseignement obligatoire :« Les enfants appartiennent à la République avant d'appartenir aux parents » ce qui a le mérite de poser une fonction publique d'éducation et ce qui fait bon marché du respect de la personnalité humaine. On est en marche vers l'idée de sécularisation de l'enseignement.

Les innovations de l'enseignement technique à la fin du XVIIIe siècle. — C'est dans le domaine de l'enseignement technique que le XVIIIe siècle finissant innova tout d'abord. Il existe en effet déjà sous l'Ancien Régime des écoles spéciales, que nous pouvons qualifier de techniques, pour répondre aux besoins de l'Etat en ingénieurs pour les routes, fortifications, canaux, ports, architectes pour les constructions royales, etc. Ce ne sont pas les Collèges équipés seulement pour fournir des prêtres ou des juristes qui pouvaient préparer ces techniciens. C'est dans les Ecoles militaires où les nobles qui fournissaient les cadres de l'armée envoyaient leurs fils qu'ils se formèrent. Depuis la fondation sous Henri IV du corps des ingénieurs ordinaires du roi, nombre de techniciens et de savants sortirent de écoles pour armes savantes comme l'artillerie et le génie. Telle fut l'Ecole de génie de Mézières fondée en 1748 qui fournissait des ingénieurs civils et militaires et à laquelle on accédait par un difficile concours. Ces écoles ont été les premières à donner un enseignement moderne, scientifique et pratique. Nous le voyons par le témoignage de Voltaire, qui, lorsqu'il réfute Rousseau, lui oppose, non la pédagogie des Collèges, mais celle des Ecoles militaires. « Il feint, écrit-il de ce dernier, dans un roman intitulé *Emile,* d'élever un jeune gentilhomme auquel il se garde bien de donner une éducation telle qu'on la reçoit à l'Ecole militaire, comme d'apprendre les langues, la géométrie, la tactique, les fortifications, l'histoire de son pays. » Et en pleine Révolution un bon juge, Lacroix, fera l'éloge de cet enseignement :

Le gouvernement, dira-t-il, dans une institution qui l'eût plus honoré si le bienfait n'eût pas été restreint à une classe privilégiée, s'écarta en faveur des jeunes élèves destinés spécialement à la profession des armes, de la routine, et associa l'étude des mathématiques, de la physique, de l'histoire et de la langue maternelle, à celle des langues anciennes renfermée dans de justes limites. La fondation des Ecoles mili-

taires qui remonte bien au delà des premiers temps
de la révolution fut une grande expérience que l'on
fit pour perfectionner l'enseignement public. » Lacroix lui-même avait enseigné dans ces écoles ainsi
que Monge ; Laplace y avait été élève ; or, ce sont
ces hommes qui inspireront les Ecoles centrales et
la pédagogie de la Révolution.

L'œuvre de la Révolution. — Les besoins nouveaux trouvèrent l'occasion de s'imposer dans les circonstances politiques qui amenèrent la chute de
l'Ancien Régime. Les *Cahiers de 1789* rassemblent
la plupart des aspirations exprimées tout au long du
XVIIIᵉ siècle. On y retrouve l'idée d'une éducation
publique, affaire de l'Etat, celle de l'extension de la
culture aux « sciences utiles pour la médecine, les
entreprises militaires et les arts » et le désir « d'enseigner à la jeunesse la morale, les belles-lettres, les
langues modernes, les sciences, les lois des nations,
l'histoire et la loi naturelle ».

Le décret du 15 septembre 1793 supprimant les
Collèges proclamait que « indépendamment des
écoles élémentaires dont la Convention s'occupe, il
sera établi dans la République trois degrés progres-
sifs d'éducation, le premier pour donner la formation
nécessaire pour les artisans et les travailleurs de
tous ordres, le second pour la formation des autres
professions de la société, et le troisième pour l'éducation dont l'étude est difficile et ne convient pas
aux capacités de tous les hommes ». On avait aupa-
ravant édicté l'organisation « d'une instruction
publique, commune à tous les citoyens, gratuite à
l'égard des parties d'enseignement indispensables
pour tous les hommes ». Maints projets virent le
jour pendant cette période comme ceux de Talley-
rand, de Lakanal et surtout de Condorcet. Tous
s'accordent sur le but nouveau qui est de perfec-

tionner l'homme et de servir, en même temps que le
développement de chacun, celui de la société entière. Ils se proposent de cultiver, non plus l'honnête
homme du XVIIe siècle ou le chrétien du moyen-âge,
mais le citoyen qui aura à participer au gouvernement de son pays. Tous reconnaissent la nécessité
d'adapter l'éducation aux besoins de la vie. Ainsi
l'idée de l'extension du champ de la culture, tant au
point de vue des hommes auxquels elle s'adresse
qu'à celui de son contenu culturel, est reconnue et
posée. Les siècles suivants auront simplement à en
appliquer les principes selon les possibilités. Et c'est
pourquoi cette époque peut être considérée comme
essentielle quant à l'expression des buts modernes
de l'éducation.

On peut mesurer le pas fait en avant en lisant
cette définition de Condorcet établissant la nécessité de trois instructions distinctes : « D'abord une
instruction commune, générale et professionnelle.
La seconde doit avoir pour objet les études relatives
aux diverses professions qu'il est utile de perfectionner. La troisième enfin, purement scientifique,
doit former ceux que la nature destine à perfectionner l'esprit humain par de nouvelles découvertes, et
par là faciliter ces découvertes, les accélérer et les
multiplier. » Il est vrai que Condorcet, dans son
amour de la liberté et dans son sens profond des
conditions nécessaires du progrès interdisait à « la
puissance publique le droit d'établir un corps de
doctrines qui doive être enseigné exclusivement et
le droit d'empêcher l'enseignement des théories
contraires à sa politique particulière ou à ses intérêts momentanés ». Il allait même jusqu'à lui demander « d'éviter surtout de confier l'instruction à des
corps enseignants qui se recrutent par eux-mêmes ».
Car « leur histoire est celle des efforts qu'ils ont

faits pour perpétuer de vaines opinions que les
hommes éclairés avaient dès longtemps reléguées
dans la classe des erreurs, pour imposer aux esprits
un joug à l'aide duquel ils espéraient prolonger
leur crédit ou étendre leurs richesses ».

Le décret du 25 février 1795 inspiré par Lakanal,
établissant *les Ecoles centrales* à raison d'une par
trois cent mille habitants, donne la mesure de l'en-
treprise envisagée. Le programme élaboré embrassait non seulement les mathématiques, la physique
et les sciences expérimentales, mais même les sciences morales et sociales dont la méthodologie était
loin d'être ébauchée. La Renaissance n'avait pas
apporté une transformation pareille, car elle avait
gardé le système scolaire du moyen-âge, l'esprit
formaliste et les langues anciennes. Cette fois la
pédagogie reconnaissait ce que l'esprit lui-même
peut gagner au contact du réel et la révélation de
l'esprit et de l'humain que peuvent constituer les
sciences quand elles regardent surtout la méthode
et l'homme sous les notions abstraites. Fourcroy
dans son rapport sur les Ecoles centrales écrivait :
« Au lieu de fatiguer les élèves à ressasser les éléments d'une langue morte, c'est le spectacle de la
nature et de ses créations, c'est la mécanique du
monde et la scène variée de ses phénomènes qu'on
offre à leur active imagination... On ne bornera plus
leurs facultés intellectuelles à la seule étude des
mots et des phrases ; ce sont des faits, ce sont des
choses dont on nourrira leur esprit. » Un article de
loi stipulait « qu'il y aura près de chaque établissement une bibliothèque publique, un jardin et un
cabinet d'histoire naturelle, un cabinet de physique
et chimie expérimentale ». Risquait-on d'oublier
par une excessive attention aux choses les valeurs
anciennes provenant de l'étude même des expé-

riences et des œuvres de l'homme lui-même ? C'est possible mais c'était nécessaire ; et d'ailleurs à l'étude des sciences se superposait celle de l'homme individuel et social à travers la grammaire générale, l'histoire, la législation et les langues mortes ou vivantes que l'on pouvait commencer dès le premier cycle et achever par un enseignement dit des belles-lettres. De plus une évidente unité présidait aux différents aspects de cet humanisme nouveau, ainsi qu'une volonté d'adapter chaque genre d'études aux possibilités de chaque enfant, en laissant aux élèves le choix des matières et la possibilité de suivre des niveaux différents dans les diverses disciplines.

On a beaucoup discuté des résultats obtenus par les Ecoles centrales. En fait il importe assez peu à la suite de cette histoire puisque, dès 1802, elles furent supprimées par Napoléon. Mais l'impulsion était donnée : l'éducation après avoir été en retard de plusieurs siècles sur l'évolution de l'esprit, des arts et des sciences, avait brusquement comblé le retard et même pris une avance qu'on peut considérer comme dangereuse à certains égards sur le plan de la sociologie. On aura beau ensuite réintroduire la vieille rhétorique ou supprimer des sciences entières, le xixe siècle d'un bout à l'autre sera la lutte des disciplines anciennes et des disciplines nouvelles. Et l'on verra se rétablir peu à peu, avec des temps de progrès et d'autres de recul, malheureusement sans plan préétabli et sans lien profond, toutes les disciplines introduites dans le programme des Ecoles centrales.

De même l'idée de créer des *Ecoles normales* pour former les maîtres n'aboutit qu'à l'installation d'une école de ce genre à Paris qui ne dura que quelques mois mais traça le chemin à l'avenir. La Convention s'occupa beaucoup des écoles primaires et dans la *loi Lakanal* (novembre 1794) assigna aux instituteurs, nommés par le peuple, agréés par un jury d'instruction et payés par l'Etat, la tâche d'enseigner la lecture, l'écriture, les règles du calcul simple et de l'arpentage, les éléments de la langue française parlée et écrite, les principaux phénomènes et les productions les plus usuelles de la nature ainsi que la morale républicaine, le recueil des actions héroïques et les chants de triomphe. La Convention elle-même reviendra de ses ambitions après la réaction thermidorienne et la loi du III brumaire an IV réduit singulièrement le nombre des écoles primaires et supprime la gratuité de l'enseignement en faisant payer l'instituteur par les élèves.

Par contre *dans l'Enseignement supérieur* la Convention se signala par des créations destinées à durer : c'est ainsi qu'elle fonda l'Ecole centrale des Travaux publics qui deviendra l'Ecole Polytechnique, l'Ecole de Mars ou Ecole militaire, le Conservatoire des Arts et Métiers, l'Ecole des Langues orientales vivantes, la Bibliothèque Nationale, le Bureau des Longitudes. Elle détruisit les anciennes Académies et créa l'Institut National ainsi que les Ecoles de Droit et de Médecine.

Assez de réalisations ont subsisté de cette courte époque ; assez d'idées ont été lancées pour reconnaître l'importance déterminante de cette œuvre. Ce n'est pas parce qu'il faudra attendre cent ans et plus pour en voir l'achèvement qu'il faudrait la méconnaître.

Chapitre VIII

L'ÉDUCATION EN FRANCE
ET A L'ÉTRANGER
AU XIXᵉ ET AU XXᵉ SIÈCLES

Ce qui caractérise l'éducation au milieu des vicissitudes du XIXᵉ siècle, c'est la croissance continue de son contenu culturel et humain. Ce siècle nous fait assister, après bien des tentatives de régression, au rétablissement de toutes les disciplines exigées par l'évolution humaine ; il nous montre en même temps l'extension constante du bénéfice de la culture à des zones de plus en plus larges de l'humanité. Telles sont les deux idées qui ont pour ainsi dire guidé l'évolution de cette époque de transition vers un régime qui n'est pas encore parfaitement réalisé, mais dont elle nous aide à mieux voir le sens.

Développement de l'éducation élémentaire. — Si l'enseignement élémentaire ne date pas de la Révolution, c'est d'elle que date la cristallisation de l'idée d'un enseignement conçu comme un droit pour tous les êtres sans exception et comme un devoir pour l'Etat. La constitution de 1793 comportait un article très net sur ce point : « L'instruction, disait-elle, est le besoin de tous. La société doit favoriser de tout son pouvoir les progrès de la raison publique et mettre l'instruction à la portée des citoyens. » La Révolution n'a pas eu le temps de le faire et il

faudra attendre la IIIe République pour commencer
à réaliser ce rêve.

Napoléon connaissant l'importance de l'éducation
s'en était fort occupé et avait embrigadé par politique l'Université. Mais il ne tenait pas à développer
l'enseignement primaire, qu'il avait abandonné
à l'initiative privée c'est-à-dire aux familles et aux
corporations religieuses. Les communes ne devaient
que le logement aux instituteurs qui dépendaient de
la hiérarchie administrative, maires et préfets.

A la Restauration, après le monopole napoléo-
nien, la question de la liberté de l'enseignement
deviendra la grande préoccupation. Les libéraux,
puis les catholiques, lorsque le droit d'enseigner fut
ôté aux Jésuites reconstitués en France, s'en firent
les ardents défenseurs. Inscrite dans la charte de
1830, ce fut seulement avec la Seconde République
qu'elle fut proclamée, puis introduite dans l'enseignement secondaire par *la loi Falloux en 1850*.
C'était le triomphe du point de vue du clergé qui
faisait reconnaître publiquement la charge d'enseignement comme une de ses fonctions. Mais,
comme il a été remarqué, dans cette lutte pour l'enfant, il ne s'agissait pas véritablement de liberté
mais d'une mainmise soit de l'Eglise, soit de l'Etat
sur l'éducation.

Une certaine effervescence pédagogique avait
animé l'époque de la Restauration. Des comités
cantonaux avaient été créés sous l'autorité religieuse pour nommer et contrôler les instituteurs.
Mais l'éducation continuait à être si peu chose
publique que le budget de l'Etat ne lui consacrait que 50.000 francs. Cependant c'est à cette
époque que se fondent les premières Ecoles normales et les premières salles d'asile.

La *Monarchie de Juillet* marque un progrès certain. En 1833, Guizot fait passer une loi qui fait obligation à chaque commune d'entretenir par elle-même ou en association avec des communes voisines au moins une école. Des centimes additionnels et des subventions publiques doivent pourvoir financièrement à ces besoins. De plus un brevet était imposé aux maîtres pour enseigner, l'Etat leur allouant un maigre traitement. Aussi, alors qu'il n'y avait en 1829 que trente mille écoles, avec des maîtres de valeur très inégale, il y en eut cinquante-cinq mille en 1840 et soixante-trois mille en 1848 avec trois millions cinq cent mille élèves. Et 3 millions de francs figuraient au budget de l'enseignement primaire.

Avec le *Second Empire* c'est le retour à l'autorité, la dépendance de l'instituteur à l'égard du préfet. Malgré les progrès constatés dans l'augmentation du nombre des écoles, un rapport de 1864 établit que près du tiers des conscrits ne savaient pas lire et qu'à leur mariage 36 % des conjoints étaient incapables de signer leur nom. Une loi de 1867 institue une école de filles dans les communes comptant plus de 500 habitants, crée des bibliothèques populaires dans les écoles, introduit l'histoire et la géographie dans les programmes et accorde la gratuité aux enfants des familles nombreuses. Mais Victor Duruy ne peut pas faire admettre l'obligation scolaire. Le budget passe à 11 millions. Les Assemblées républicaines le porteront à plus de 100 millions.

C'est en effet la IIIe République qui organisera vraiment l'enseignement primaire public avec Jules FERRY et Paul BERT en 1881 et 1882. En quelques années furent dressés les principes généraux de la grande politique scolaire qui caractérise cette époque et les aspirations de la démocratie naissante : principe de l'*obligation scolaire* qui fait un

devoir aux familles d'envoyer leurs enfants à l'école
et une responsabilité à l'Etat d'assurer l'éducation
de la jeunesse en créant une école dans chaque commune et même dans chaque hameau distant du chef-
lieu de plus de 3 kilomètres avec la charge d'en
payer convenablement les maîtres — proclamation
de la *gratuité de l'enseignement* — principe de la
laïcité qui engage la neutralité de l'enseignement
public et laisse l'éducation religieuse à la famille ou
au clergé. On laissait subsister pour les parents qui y
tenaient un enseignement libre mais un brevet de capacité était exigé de toute personne qui voulait enseigner et aucun secours n'était alloué par l'Etat en
dehors de l'enseignement public. Les écoles devaient
vaquer un jour par semaine afin de permettre aux
parents qui le voudraient de faire donner l'éducation religieuse en dehors des locaux scolaires à leurs
enfants.

Des moyens financiers accompagnaient la mise en
œuvre d'un programme qui devait rendre l'école
obligatoire de six à treize ans pour les enfants des
deux sexes : deux fois 120 millions furent mis à la
disposition de l'éducation, ce qui représente une
somme importante pour ce temps où l'instituteur
débutant recevait annuellement selon ses titres de
600 à 900 francs. Quant au budget normal il passa
à 160 millions en 1900 et atteignit 1 400 millions
en 1914.

Les programmes de cet enseignement établis en
1882 et en 1887 ont été conservés tels quels, en
dehors de quelques additions jusqu'en 1923 où il
parut bon « de les simplifier, de mieux les graduer, de
vivifier les méthodes et de coordonner les disciplines ». C'est que la hantise de pourvoir l'enfant des
connaissances les plus nécessaires avant qu'il quitte
l'école, la préoccupation du certificat d'études qui

clôt les études primaires, ont poussé les maîtres et les manuels à entasser les connaissances, à donner des notions prématurées et à exagérer les tendances purement intellectuelles de cette première formation.

Signalons pourtant la magnifique réalisation qu'ont été les *Ecoles maternelles*. Suite des salles d'asile qui s'étaient développées peu à peu, elles ont été légalisées par la loi de 1881. Destinées à recevoir les enfants de deux à sept ans, elles s'inspirent au fond des « jardins d'enfants » dont nous devons la conception première à l'éducateur allemand FROEBEL (1782-1852). C'est lui qui a eu l'idée d'avoir une école ou plutôt un milieu approprié aux besoins de la nature de l'enfant, lui fournissant de bonnes conditions de développement physique et mental, utilisant le jeu, la curiosité, le mouvement, l'activité spontanée du jeune être, la culture d'un jardinet, le travail de l'argile et du sable, les petits travaux manuels, la marche, le dessin et des causeries très simples pour le développer. Un groupe d'éducatrices françaises parmi lesquelles Mme Pape-Carpantier, Pauline Kergomard, Mlle Brès en ont fait la belle réalisation de l'Ecole maternelle française qu'on peut considérer comme la partie vraiment rénovée de notre enseignement si elle ne se laisse pas gagner pas la sclérose qui menace toute novation. Mais on sait que sa méthode est encore assez distincte de celle du reste du système français et qu'il y a comme une cassure entre l'Ecole maternelle et le cours élémentaire qui lui fait suite.

Quoi qu'il en soit, c'est par une sorte de nécessité impérieuse que l'éducation a peu à peu étendu ses bienfaits à toute la masse de la population scolaire. La limite de l'âge de la scolarité s'est trouvée de plus en plus retardée. Elle est actuellement portée à quatorze ans. On n'aurait pas imaginé cent ans plus tôt que la chose pût être possible. Encore en 1830 on revendiquait l'enfant comme une main-d'œuvre indispensable pour l'usine comme on le réclame aujourd'hui pour la terre. La machine, l'évolution économique ont permis ce retard constant de l'âge d'entrée dans la vie productive. Il n'y a pas de raison que ce mouvement s'arrête et que ce qui peut paraître difficile encore aujourd'hui ne devienne pas demain parfaitement loisible. Et n'est-ce pas la condition primordiale du progrès humain et la caractéristique peut-être essentielle de notre espèce que ce temps de plus en plus long qu'elle consacre à la formation de l'homme ? Que ne pourrait-on pas espérer si elle le consacrait à son véritable bien et à son amélioration ?

Le développement de l'éducation secondaire et moyenne. — Le même phénomène d'extension du contenu culturel et humain de l'éducation caractérise l'enseignement secondaire. De la création des Ecoles centrales remplacées par des *lycées*, Napoléon ne garda guère que les mathématiques nécessaires aux Ecoles militaires ; par contre les lettres, le latin surtout, redeviennent l'enseignement de base, mais le xixᵉ siècle verra réapparaître l'un après l'autre les éléments bannis de la culture moderne.

Napoléon est aussi le responsable du régime centralisé et uniforme que nous connaissons encore aujourd'hui. La *loi de 1802* créait un système national, centralisé, un corps enseignant surveillé par l'Etat, astreint en partie au célibat, contrôlé par des inspecteurs servant de liens entre les autorités locales et les autorités centrales, dirigé par un Conseil de l'Université ayant à sa tête un grand maître. La division en Académies dirigées par un recteur apparaît également alors. La discipline assez analogue à celle de la caserne était imposée aux maîtres comme aux élèves. L'Université administrait directement

les lycées (au nombre de trente puis de cent) et les
Ecoles secondaires communales qui porteront bientôt le nom de Collèges. Elle organisait et distribuait
les grades selon un système directement inspiré du
moyen-âge. Désormais un régime uniforme, calqué
même par l'enseignement libre, allait asservir aux
règlements tout le corps universitaire. Sa stabilité
étonnante à une époque de grands changements tient
pour beaucoup à son organisation napoléonienne.

Cependant c'est l'âge du machinisme et du verti-
gineux progrès scientifique qui commence. Les
sciences anciennes ne cessent de se développer ; de
nouvelles se créent ; les rapports internationaux se
multiplient, les langues vivantes deviennent de plus
en plus nécessaires à la vie. L'industrie, le commerce
exigent des techniciens toujours plus nombreux ; le
souci professionnel envahit tout ; la concurrence de
l'âge capitaliste demande que l'individu soit sans
cesse mieux armé pour la vie. La culture devient un
bien de plus en plus désiré ; la participation de couches de plus en plus larges de la société aux affaires
publiques a pour condition préalable l'éducation de
ces nouveaux responsables.

Aussi l'immobilisme naturel aux corps constitués
doit-il céder à la nécessité. Dès 1827 on redonne par
force, grâce à M. de Vatimesnil, un peu plus de place
aux sciences et on prévoit les langues vivantes. Et
en 1833 Guizot rétablit l'enseignement scientifique
jusqu'en bas. En même temps on constate un afflux
constant des enfants de la bourgeoisie vers l'enseignement secondaire (quarante-quatre mille élèves
en 1843). Pour répondre aux besoins de la société
moderne, le ministre Fortoul imagine en 1852 une
bifurcation après les trois premières années qui
donne le choix entre une branche scientifique et une
branche littéraire. Mais ce système qui heurtait les

préjugés en faveur des études classiques ne satisfait pas pleinement aux besoins nouveaux. Et en 1865 Duruy crée un *enseignement* dit *spécial* à côté de l'enseignement traditionnel qui comprend le français, les langues vivantes, les sciences, l'histoire et la géographie, la tenue des livres, le dessin et l'arpentage. Mais les familles aisées le boudent et les pauvres ne peuvent le suivre. L'enseignement nouveau se contente de calquer son aîné et il végète. La IIIᵉ République, si ferme dans ses vues sur l'enseignement primaire, hésite. Elle le remplace en 1891 par *l'enseignement secondaire moderne* qui dure six ans et ne vaut pas mieux. Par contre elle organise un enseignement moyen pour permettre aux jeunes gens de la petite bourgeoisie de se préparer aux fonctions qui, sans exiger une culture supérieure, demandent une culture plus poussée que la simple formation primaire : ce sont celles des fonctionnaires moyens, postiers, instituteurs, ou des employés du commerce et de l'industrie. Ces *Ecoles primaires supérieures* ainsi nommées connaîtront un franc succès malgré leur écartèlement entre les Collèges et Lycées et l'enseignement professionnel. Enfin en 1880 — dernière conquête de l'égalité culturelle — on songe à créer un *enseignement secondaire féminin*, distinct d'abord de celui des garçons, puis de plus en plus semblable à lui jusqu'à lui ressembler complètement, bien que les établissements restent séparés, la coéducation n'étant admise en France que par nécessité là où les effectifs sont insuffisants à l'École primaire.

Organisation de l'éducation professionnelle et technique. — Comme il fallait s'y attendre, la dernière conquête de l'institution éducatrice fut celle qui lui confia l'enseignement professionnel. L'apprentissage sous l'Ancien Régime était l'œuvre des corporations. Il incombe encore largement à l'usine, au métier. La complication de cette tâche, sa lourdeur, le souci de la faire accompagner d'une formation plus large, le désir de remédier à l'étroitesse d'une éducation purement utilitaire ont conduit à charger de plus en plus l'école de cette fonction. Si l'on ne veut pas faire de l'ouvrier seulement un rouage de machine asservi à une fonction étroite et d'ailleurs de moins en moins stable avec les constants bouleversements de la technique et du marché du travail, si l'on veut lui donner une formation digne de l'homme, il est évident qu'il faut regarder plus haut. Par contre il faut éviter que l'école ne donne par routine une formation en retard sur l'évolution des activités économiques de la vie : c'est là une de ces antinomies que l'éducation doit sans cesse résoudre.

En fait c'est d'abord l'initiative privée qui assurera la création d'Ecoles pratiques comme celles d'Epinal en 1817, de Lyon (La Martinière) en 1831, de l'Ecole Colbert à Paris en 1839, etc. En 1829 le ministre de Vatimesnil invita les Collèges qui le voudraient à organiser « des sections particulières d'élèves étudiant les sciences et leurs applications à l'industrie, les langues modernes, la théorie du commerce ». En 1832 on réorganisa les Ecoles d'Arts et Métiers d'Angers et de Châlons. La Monarchie de Juillet et le Second Empire ayant tenté en vain de résoudre le problème en s'adressant à l'enseignement secondaire, il fallut attendre la IIIᵉ République pour l'aborder de front. Une loi de 1880 créa les *Ecoles manuelles d'apprentissage* rattachées les unes au ministère du Commerce, les autres à l'Instruction publique. Ces écoles ne répondant qu'imparfaitement aux besoins du commerce et de l'industrie, on les remplaça en 1892 par les *Ecoles pratiques de commerce et d'industrie* rattachées au ministère du Commerce et chargées de former des employés et des ouvriers aptes à être immédiatement utilisés au comptoir ou à l'atelier. Les travaux pratiques y occupaient presque toute la place, l'enseignement général étant réduit à la portion congrue. A côté d'elles se multipliaient les cours professionnels du soir et du dimanche pour les ouvriers déjà en activité. En même temps se développaient les Ecoles techniques privées les plus diverses qui s'ajouteront aux six Ecoles nationales professionnelles et aux Ecoles professionnelles de la ville de Paris (physique et chimie industrielle, dessin, ameublement, livre, etc.). La variété extrême des conditions d'âge, de durée des études, des sanctions, subsistera même lorsqu'on aura rassemblé cette multiplicité d'établissements sous le nom d'enseignement technique et professionnel. Il ne touchera en 1936 que quelque deux cent mille élèves, ce qui est un chiffre dérisoire pour les besoins d'une nation moderne.

Quant à l'enseignement agricole qui devrait normalement faire partie de l'enseignement technique et professionnel, il fut à peu près inexistant jusqu'en 1879 où l'on fit figurer l'agriculture dans le programme des Ecoles primaires et dans les Ecoles normales, et où l'on tenta de créer des Ecoles pratiques d'agriculture et des fermes-écoles. Alors que le Danemark réussit une si belle œuvre dans ce domaine, cet enseignement végéta en France. Cependant des Ecoles d'hiver et des Ecoles spéciales s'ouvrirent et les Ecoles nationales d'agriculture, l'Institut agronomique installé pourtant en plein Paris prospérèrent.

L'enseignement supérieur. — La Révolution avait supprimé les vingt-sept Universités moribondes de l'Ancien Régime et les avait remplacées

par les Grandes Ecoles spécialisées. Napoléon les
rétablit en ajoutant pourtant selon les besoins du
temps une faculté de plus, la faculté des sciences.
Mail il ne leur laissa aucun lien entre elles et il les
chargea presque uniquement de la collation des
grades, baccalauréat, licence, doctorat. Ce qui maintint quelque vie dans la longue période qui va de
1802 à 1879 ce furent les Grandes Ecoles et surtout
le Collège de France qui créa de nouvelles chaires et
le Muséum d'histoire naturelle. Aux premières on
vit s'ajouter l'Ecole des Chartes (1821), l'Ecole nationale des Arts et Manufactures, l'Ecole française
d'Athènes (1846), l'Ecole pratique des Hautes
Etudes (1867).

C'est encore la IIIe République qui donnera son
statut à cet enseignement et le complètera : création
de conseils d'Université dans chaque Académie, de
bibliothèques, de chaires, de collections, de labora-
toires, de nouvelles facultés de droit et de médecine,
de cinq observatoires, d'Instituts à l'étranger, etc.
Mais, malgré les tentatives de regroupement des
disciplines grâce aux Instituts, centres d'études et de
recherches, qui coordonnent les travaux de plusieurs
facultés, on en reste à la division médiévale et
on subordonne plus ou moins indûment certaines
disciplines comme l'économie ou la philosophie
aux anciennes facultés de droit ou de lettres. On
ne fait pas à la psychologie de l'enfant et à la pédagogie toute leur place, alors qu'une des fonctions
essentielles de beaucoup de facultés est devenue la
préparation des futurs maîtres à la licence d'enseignement ou à l'agrégation. Enfin, bien que l'afflux
des étudiants ait fait passer le nombre des élèves de
vingt-sept mille en 1896 à quatre-vingt-deux mille
en 1937, dont dix-huit mille étudiantes, le pourcentage de ceux qui sont issus des classes inférieures est

encore très faible et la gratuité des études n'est pas
complète. D'ailleurs le régime de l'enseignement
supérieur étant celui de la liberté, cinq Instituts
catholiques se sont ouverts à Paris, Angers, Lyon,
Toulouse et Lille ; mais la collation des grades
appartient au seul enseignement public.

La haute recherche scientifique qui avait relevé
des initiatives individuelles exige de plus en plus
la collaboration des chercheurs et une organisation
collective des travaux en raison des moyens puissants
qu'elle demande et de l'extrême spécialisation qui
est la règle aujourd'hui. La guerre a précipité cette
évolution dont le type le plus avancé nous est offert
par les Etats-Unis ou la Russie. La France n'en est
qu'à ses premiers pas sur ce chemin ; la fondation
du Centre de recherche scientifique ne date que
de 1944.

**La situation dans la première moitié du XXᵉ siè-
cle.** — Ainsi s'est construit, non sans à-coups et non
sans luttes, l'édifice scolaire français. Il a produit
cette culture française qu'il ne s'agit nullement de
sacrifier mais de perfectionner et d'adapter aux conditions matérielles, sociales et spirituelles de la pensée et de la vie modernes. Car le malheur est que
cette construction s'est faite par morceaux, sans
plan d'ensemble, au hasard des besoins et des inspirations. On s'est contenté d'ajouter des tranches de
savoirs nouveaux ou des préoccupations nouvelles
aux anciennes sans se soucier de repenser l'ensemble et en gardant l'esprit ancien. Aussi l'unité
manquait-elle à l'ensemble et la diversité des créations successives, toutes intéressantes, ne facilitait
aucunement l'utilisation des possibilités offertes.
Par contre l'encyclopédisme et le malmenage qui
en résulte, l'impuissance de méthodes qui étaient
valables pour une catégorie limitée d'esprits à for-

mer réellement une masse grandissante d'individus, menaçaient de rendre vains les plus louables efforts. On commença à en avoir conscience à la fin du siècle dernier et une immense enquête ouverte en 1898 aboutit à la Réforme de 1902 qui fut la première tentative de mise en ordre de l'édifice.

L'organisation à laquelle elle aboutit, plusieurs fois retouchée jusqu'aux projets de Jean Zay de 1937-38, se compléta en 1919 par celle d'un véritable enseignement technique pourvu d'un directeur et rattaché à l'Instruction publique. La loi Astier lui donna son statut et rendit obligatoires les cours professionnels pour les apprentis. Malheureusement le budget qui lui était consacré n'atteignait que 200 millions en 1940 et, si l'on créait l'Ecole normale supérieure de l'enseignement technique pour la formation de ses maîtres, on se contentait de codifier la variété infinie des écoles et des cours existants.

A l'issue de la première guerre mondiale une grande fermentation pédagogique se manifesta en particulier avec le mouvement des Compagnons de l'Université nouvelle, puis avec la querelle plus politique que pédagogique de l'Ecole unique. On vota bien la gratuité de l'enseignement secondaire, la prolongation de la scolarité jusqu'à quatorze ans, on fit un essai intéressant d'orientation scolaire pour mieux répartir les élèves entre les différentes branches d'études après le primaire, on organisa l'orientation professionnelle dans des centres départementaux ; les événements ne permirent pas la discussion du projet de réforme élaboré sous J. Zay.

A la fin de la deuxième guerre mondiale, on pouvait se rendre compte que notre système scolaire n'était qu'un compromis. Il juxtaposait des enseignements variés mais permettait difficilement le passage d'une branche d'études à une autre. A l'en-

seignement primaire, arrêté pour les uns à onze ans,
pour les autres à quatorze, il superposait un enseignement primaire prolongé sous la forme soit de
cours supérieur soit de cours complémentaire suivi
ou non d'un apprentissage, soit d'Ecoles pratiques
ou professionnelles devenues depuis Collèges techniques, soit d'Ecoles primaires supérieures devenues
depuis Collèges modernes et aboutissant vers
quinze ans au brevet élémentaire, puis au brevet
supérieur pour les futurs instituteurs qui entraient
alors dans les Ecoles normales. Les autres, dans la
proportion d'un enfant sur cinq, désignés moins par
la sélection que par l'origine sociale, avaient quitté
dès onze ans l'enseignement primaire pour entrer
dans un Collège ou Lycée et y suivre durant sept ans
l'enseignement secondaire qui les conduisait aux
différents baccalauréats.

La diversité des conditions d'âge, l'étanchéité des
cloisons qui séparaient ces branches d'études ne
permettait pas un passage aisé de l'une à l'autre. On
s'était contenté de juxtaposer au fur et à mesure
des besoins les différents systèmes. De même, on
avait sans cesse ajouté des disciplines nouvelles
aux anciennes sans lien profond. L'enseignement
classique, de plus en plus resserré dans un horaire
réduit, avait de plus en plus de peine à assurer la
formation culturelle qu'il donnait autrefois ; et soit
humilité, soit hantise de calquer la formation ancienne, on n'avait pas osé tirer des disciplines nouvelles toute la valeur humaniste qu'elles recélaient. Il
y avait au fond deux enseignements, celui du peuple
et celui des quelques privilégiés — un enfant sur
cinq environ — qui pouvaient prétendre à des études
plus longues. Le Lycée fonctionnait presque à
part du reste du système au point qu'il avait des
classes élémentaires spéciales pour sa population

scolaire. L'enseignement technique menait une vie isolée, assez dédaigné de la clientèle bourgeoise bien qu'il correspondît à des fonctions éminentes dans la société. L'apprentissage ne touchait qu'une toute petite portion de la jeunesse laborieuse. Quant à l'enseignement supérieur il était déchiré entre les Universités et les Grandes Ecoles qui souvent doublaient simplement les facultés ou leur faisait dangereusement concurrence, en ne donnant, comme Polytechnique, qu'une formation générale et pas de préparation professionnelle.

Il est évident qu'une réorganisation d'ensemble était à prévoir et qu'il fallait repenser entièrement la conception même de l'éducation ; car il faut d'une part organiser un système culturel suffisamment différencié pour répondre à la diversité des besoins, des capacités, des aptitudes, des fonctions sociales, et cependant assez uni pour permettre l'orientation des individus vers le genre d'études qui conviendront le mieux à leur épanouissement ; d'autre part il faut mettre au point des types de culture moderne, scientifique, technique, professionnelle, susceptibles de répondre à ces besoins. C'est le problème d'une Réforme globale de l'enseignement que poursuivaient les plans de J. Zay avant la guerre et ensuite le plan de la Commission Langevin.

L'évolution à l'étranger. — Il est symptomatique de constater une évolution parallèle des problèmes de l'éducation dans les pays étrangers.

Pour *l'Angleterre* la ressemblance est frappante. Il y a loin de l'acte de 1802 du Parlement qui limite les heures où l'on emploie les enfants à un travail productif à douze par jour et abolit le travail de nuit pour eux jusqu'au projet du *Livre Blanc* que les Anglais ont eu le courage d'élaborer au milieu de leurs épreuves de la dernière guerre. Mais le chemin est le même. C'est aussi le développement économique et le machinisme qui vont libérer des loisirs pour l'homme et permettre de retarder de plus en plus l'âge d'entrée dans la vie active. La seule différence est que le progrès s'y fera beaucoup plus par l'action des institutions locales et privées que par celle de l'État. Encore celle-ci deviendra-t-elle de plus en plus importante au fur et à mesure que l'initiative particulière pourra moins supporter les lourdes charges de l'éducation moderne.

Dès la première moitié du XIXᵉ siècle, maintes sociétés d'éducation se formèrent. La première subvention publique accordée en 1833 se montera à 20 000 livres et s'accroîtra fort lentement. Néanmoins on comptera vers 1850, trois mille huit cents écoles répondant aux besoins de cinq cent quarante mille élèves. En 1856 est constitué le Bureau d'éducation, organisme officiel. L'Acte d'éducation de 1870 associe le système éducatif organisé par l'État à l'effort de l'Église, principalement de l'Église anglicane. En 1880 on rend l'éducation élémentaire obligatoire jusqu'à dix ans. L'âge de l'obligation est élevé à douze ans en 1899 en même temps qu'est fondé le Conseil national de l'éducation. L'Acte de 1918 le porte à quatorze ans et de nouveau au sortir d'une guerre très dure l'Angleterre n'a pas craint de prolonger d'un an la scolarité obligatoire, d'entreprendre les constructions scolaires nécessaires pour cela et de former dans des « training colleges » spéciaux les maîtres nouveaux dont elle avait besoin en les prenant même en dehors de la formation universitaire au sortir de l'armée.

Cependant l'enseignement secondaire restait, malgré l'accroissement des bourses, l'apanage de la classe aisée qui pouvait offrir à ses enfants la fréquentation des célèbres « public-schools ».

Longtemps aussi le développement scientifique se fit hors des Ecoles et des Universités. La science ne pénétra à Oxford et à Cambridge qu'après 1850. Dans la seconde moitié du siècle, le contrôle de l'Etat tend à s'exercer davantage sur cette éducation secondaire. On organise peu à peu les programmes ; on introduit l'étude des langues vivantes et des sciences ; on crée des Ecoles secondaires pour la classe moyenne. En 1872 l'enseignement féminin est organisé. On favorise le développement des écoles techniques, des écoles « à temps partiel ». Mais tout cela se fait avec l'empirisme bien connu des Anglais et toujours avec quelque défiance à l'égard de la mainmise de l'Etat.

Aux *Etats-Unis* on ne saurait à aucun moment parler d'une organisation nationale de l'enseignement. Car cette organisation est laissée aux différents Etats et même aux communes et aux villes. Mais la foi dans la liberté et dans la démocratie y est accompagnée d'une confiance égale dans l'éducation. Aussi est-ce le pays où l'instruction est le plus recherchée et, avec l'U. R. S. S. celui où le budget consacré à l'éducation est le plus important (25 % environ de l'ensemble des autres budgets). C'est le peuple américain qui a réalisé le premier l'enseignement gratuit pour tous ; le primaire dès 1830, le secondaire vers 1850. Les *high schools* gratuites se développèrent en effet rapidement à partir de cette date, passant de cent soixante en 1870 à six mille en 1900. De très bonne heure aussi l'enseignement y prit une allure moderne, pratique et même utilitaire qui contraste avec nos traditions intellectuelles et notre idée de la culture désintéressée. Le libéralisme des examens aussi variables que les écoles, la possibilité de choisir librement n'importe quelle matière parmi les options offertes répondent certes aux nécessités de la spécialisation moderne mais tournent le dos à notre conception de la culture générale. L'enseignement supérieur est resté en grande partie privé et indépendant. Les Collèges célèbres comme ceux de Harvard, Yales, Columbia, Princeton, connaissent une grande opulence ; quelques Universités d'Etat s'organisent plus tard. A tous les degrés un remarquable effort pour développer la science de l'éducation et une attitude expérimentale à l'égard de ses problèmes se font jour et permettent de bien espérer de l'avenir.

L'U. R. S. S. a offert au monde dans les quarante dernières années l'exemple du développement le plus rapide de l'éducation. Dans ce court laps de temps, la Russie est passée de l'état presque médiéval à l'état moderne le plus avancé. Partis d'une situation vraiment chaotique, les plans successifs auxquels l'éducation était étroitement associée sont arrivés à créer sur tout le territoire des Républiques soviétiques des écoles pour trente et un millions d'élèves, des établissements d'enseignement supérieur pour six cent mille étudiants et un corps de cinq cent mille pédagogues. Le budget consacré à l'éducation n'a cessé de croître même pendant la guerre.

Cet effort a d'abord porté surtout sur l'enseignement technique le plus nécessaire à un pays qui devait s'équiper industriellement pour atteindre le niveau de la civilisation moderne. Au degré supérieur, on aboutit à la création de trois cent quatre-vingt-dix-huit Universités et Instituts d'Arts et Métiers, quatre-vingt-six Instituts agricoles, soixante-dix-huit Instituts médicaux, cent cinquante-deux Instituts supérieurs techniques en particulier pour les transports, quarante-trois Instituts d'économie politique, vingt-cinq Instituts artistiques.

Des Instituts pédagogiques nombreux, dont sept à Moscou, forment les cadres et les reforment sans cesse.

En même temps la lutte contre l'analphabétisme qui atteignait 73 % de la nation a fait tomber rapidement ce pourcentage jusque dans les régions peu évoluées de la Sibérie ou du Turkestan. Le développement constant de la scolarité obligatoire a caractérisé cette époque. L'U. R. S. S. a d'abord installé l'école de 7 ans, à côté de celle de 10 ans, qu'elle s'efforçait de généraliser au plus vite. Elle vient, depuis le 21ᵉ Congrès, où Khrouchtchev s'en est pris aux différences qui subsistaient entre intellectuels et manuels, de décider la généralisation de l'école de 8 ans, puis d'un cycle de 3 ans qui aura pour particularité, grâce à l'éducation polytechnique, de conduire à la fois à un diplôme de culture générale permettant l'accès à l'Université et à un certificat professionnel permettant d'exercer un métier. Mais toujours la possibilité de reprendre une éducation incomplète soit dans l'école du soir, soit tout au long de la vie adulte, est fournie à tous ceux qui s'en sentent l'envie.

Quant aux méthodes et à l'esprit, l'enseignement en U. R. S. S. a fort évolué au cours de ces brèves années. Il faut le regarder avant tout comme étant de type expérimental. Au début il fut fondé sur l'école-communauté de travail, où l'étude et l'observation directe des activités économiques constituaient la base du travail scolaire. On lui substitua en 1922 la méthode des complexes qui, autour du même thème, initiait l'enfant à la vie familiale, locale, régionale, nationale et internationale. On prétendit recourir aux méthodes les plus neuves et à la psychologie la plus prétentieuse. Malheureusement manquaient plus qu'ailleurs les pédagogues

nouveaux et les vrais psychologues. Les échecs
constatés conduisirent à réintroduire les pratiques
de l'enseignement magistral, collectif, de l'autorité
adulte et administrative à l'école. De même on re-
nonça pendant la guerre à la coéducation qui avait
été pratiquée de l'Ecole enfantine à l'Université.
Ces retours tiennent-ils aux circonstances ou à
d'autres facteurs ? L'avenir le dira. Par contre la
liaison de la pédagogie à la formation de l'homme
communiste a été gardée. L'éducation polytechnique, la liaison étroite de la théorie à la pratique, non
dans un souci utilitaire, mais dans un souci essentiellement pédagogique, l'éducation active de « l'indépendance », la morale et l'émulation socialistes, le
souci porté au progrès de tous les élèves et non de
quelques-uns, ont été la base de l'éducation sovié-
tique.

L'éducation de l'adulte. — Ainsi d'un bout à l'autre de l'histoire la place consacrée dans la vie à la
formation de l'homme n'a cessé de croître en importance ; tous les projets de réforme actuels envi-
sagent d'étendre la scolarité obligatoire jusqu'à
quinze, seize et même dix-huit ans, comme fait en
France le projet Langevin. Tel est bien le sens de
l'évolution. Mais en même temps on a commencé à
reconnaître que l'éducation ne devait pas être le fait
seulement de la jeunesse, mais l'œuvre de toute la
vie. Permettre à l'homme fait de continuer à développer ses aptitudes professionnelles ou intellectuelles, de se cultiver, de meubler sainement ses
loisirs, tel est le problème qu'on s'attache à résoudre
dans tous les pays. Et c'est bien un des problèmes
essentiels du monde moderne. Car si demain le
machinisme, le progrès technique, une fois réparées les
destructions de la guerre, développent à nouveau les
loisirs de notre existence, il faudra fournir à l'homme

les moyens d'en faire un usage sain et profitable.

On a organisé plus ou moins rationnellement un enseignement post-scolaire, d'abord professionnel, puis de plus en plus varié, sous forme de patronages pour la jeunesse, de clubs, de troupes de théâtre ou de musique, de cercles populaires d'études, etc. Les visites des musées, les excursions, les fêtes ont été exploitées à ces fins. Les mouvements de jeunesse, sportifs ou culturels, se sont développés à côté du scoutisme. Mais on a vu aussi des cours du soir permettre aux ouvriers, aux fonctionnaires, de se perfectionner dans leur profession, d'accéder à des échelons plus élevés dans la hiérarchie de leur métier, ou même parfois de changer de métier. Organisé le plus souvent soit par des corporations de travailleurs (comme la S. N. C. F. ou les P. T. T. en France), soit par des groupements syndicaux, soit par des associations bénévoles, cet enseignement de l'adulte a reçu un encouragement de plus en plus important des pouvoirs publics. Aussi les projets de réforme envisagent-ils d'en confier partiellement au moins la charge à l'Etat. Ainsi sont nés les organismes de l'éducation populaire qu'on ferait mieux sans doute d'appeler éducation de l'adulte. Certains pays sont déjà plus avancés sur cette voie, par exemple l'Australie ou l'U. R. S. S.

Cette extension de l'action éducatrice est le fait constant de l'époque moderne ; on demande toujours plus à l'éducation : il n'est pas jusqu'à la paix, à la compréhension internationale, où elle ne puisse jouer, si elle le veut et si on le lui demande, un rôle tout puissant. Car qui peut mieux qu'elle créer les attitudes et les sentiments nécessaires pour amener une meilleure compréhension entre les hommes de toutes races ou nationalités ?

Chapitre IX

VERS L'AVENIR

Le plan de Réforme Langevin-Wallon. — On n'est pas étonné, après avoir suivi le cheminement de l'institution éducatrice, de constater que dans tous les projets de réforme scolaire élaborés pendant ou après la guerre, à peu près les mêmes tendances se manifestent, du moins dans les pays parvenus à un degré voisin d'évolution. Le projet français de réforme, dit *projet de la Commission Langevin*, les exprime presque toutes : prolongation de la scolarité obligatoire par paliers (c'est-à-dire année après année) jusqu'à dix-huit ans ; prise en charge par l'Ecole de la formation professionnelle à partir de quinze ans ; distinction de trois cycles successifs de l'enseignement de six à dix-huit ans : le premier de six à onze ans, ou cycle primaire, faisant suite aux jardins d'enfants, classes enfantines ou maternelles, devient un premier palier pour tous et peut de ce fait être allégé d'une masse déjà alourdissante de notions et de connaissances qu'on devait donner parce que cet enseignement était le seul que recevait la grosse majorité de la jeunesse ; le deuxième cycle ou cycle de l'orientation, chargé de répartir les élèves selon leurs capacités, leurs aptitudes et leurs intérêts entre les diverses branches de la culture et grâce au maintien d'un tronc commun d'études qui permettra tous les aiguillages nécessaires ; le troisième cycle ou cycle de détermination, sépare à quinze ans d'un côté la grosse masse de la jeunesse qui entre dans les sections pratiques et professionnelles pour y commencer son apprentissage tout en continuant à recevoir, pour moitié au moins de l'horaire, un complément de culture générale nécessaire à l'homme et au citoyen, et d'autre part les plus doués qui entrent dans les sections dites théoriques qui embrassent tous les types de culture depuis la formation classique jusqu'aux formations scientifiques et techniques. A la fin de ce cycle, c'est-à-dire à dix-huit ans, les études obligatoires prennent fin et se terminent pour les premiers par la sanction d'un brevet agricole, industriel ou commercial, pour les autres par un diplôme ou baccalauréat. Pour l'élite qui peut aspirer à l'enseignement supérieur trois stades successifs sont prévus : d'abord deux années d'études pré-universitaires déjà plus spécialisées mais plus larges néanmoins que la spécialisation ultérieure ; après quoi viennent deux années de licence dans les facultés rénovées et groupées d'une façon plus conforme aux exigences de la science moderne ; les meilleurs enfin peuvent accéder au dernier stade dit de la haute culture scientifique ou des Grandes Ecoles qui deviennent vraiment des Ecoles d'application ; c'est aussi l'âge où se prépare l'agrégation. La formation des maîtres se ferait dans des Ecoles normales groupant tous les futurs instituteurs et professeurs et les spécialisant au fur et à mesure que se manifesteront leurs aptitudes.

Ce projet avait réuni les suffrages de la plupart des enseignants, en dehors de certains membres de l'enseignement secondaire qui tenaient à une sélection plus précoce des élèves doués, et de certains tenants des études classiques qui y voyaient une menace pour le latin. Les circonstances politiques et financières ont empêché sa discussion au Parlement et ont fait au fond que la France n'a pu résoudre réellement le problème de l'éducation nécessaire à la démocratie et au monde modernes. En effet les projets ultérieurs, comme ceux du ministre Billères, bien qu'ils constituassent des solutions intermédiaires, n'ont pu être votés, et la réforme ordonnancée par le général de Gaulle le 6 janvier 1959 ne constitue elle-même qu'un compromis.

La réforme du 6 janvier 1959. — Cela ne veut pas dire que cette Réforme ne contienne pas des mesures positives, c'est-à-dire allant dans le sens de l'évolution que nous avons décrite. De ce fait si l'application en est bien conduite, elle peut constituer une étape menant à d'autres transformations nécessaires. Cela dépendra beaucoup des moyens dont elle disposera et des mesures qui seront prises pour transformer vraiment les programmes, les examens et surtout la formation des maîtres, condition primordiale de tout changement qui ne veut pas être seulement apparent.

En premier lieu, la réforme prolonge la scolarité obligatoire jusqu'à 16 ans à partir de 1967 ; elle entérine la suppression de l'examen d'entrée en 6ᵉ qui avait été décidée sous le ministre Billères. Cet examen de sélection après les 5 premières années élémentaires avait fait, si l'on peut dire, ses preuves. D'une part, il laissait échapper 1/4 des élèves qui auraient eu autant

de chances que les heureux élus d'entreprendre des études du
second degré. D'autre part, plus de 50 % des élèves sélectionnés
devaient abandonner en cours de route leurs études et n'arri-
vaient pas au baccalauréat. Le concours d'entrée en 6e a été
remplacé par un simple examen des dossiers scolaires fournis
par les instituteurs du Cours Moyen. Plus tard un *dossier scolaire d'observation continue* suivant l'enfant depuis son entrée
à l'école élémentaire, permettra de tenir compte de toute
l'histoire de sa scolarité, des indications recueillies sur sa santé,
son milieu familial, ses qualités physiques, intellectuelles et
caractérielles. Le but est d'arriver à faire entrer en 6e tous les
enfants ayant effectué une scolarité normale, de façon à pouvoir les observer pendant les deux années suivantes qui constituent le *Cycle d'observation* et à les orienter vers les différentes branches d'études qui s'offrent alors à eux.

En second lieu, l'instauration d'un premier trimestre de 6e
sans latin, donc entièrement commun pour ce qui est des disciplines enseignées, permettra d'en faire un trimestre d'adaptation aux nouvelles conditions de travail qui sont celles du
second degré et auxquelles tant d'enfants s'adaptent si péni-
blement.

Malheureusement la période commune est restreinte à ce
trimestre et le choix entre le latin et les études modernes ou
techniques risque d'orienter vers le premier les élèves les plus
doués et de ne laisser aux autres sections que des élèves moins
doués, ce qui serait grave pour une nation moderne qui a
besoin d'élites dans tous les secteurs de l'activité, particulièrement en sciences et en technique.

Il est vrai qu'une réorientation pourra avoir lieu en 4e,
grâce à la création de *quatrièmes d'accueil* qui permettront
d'entreprendre à ce niveau toutes les études. Alors que le
premier conseil d'orientation, à la fin du 1er trimestre de 6e,
laisse les familles libres de le suivre ou non, à la fin de la 5e
celles-ci n'auront plus d'autre recours que de faire subir à leurs
enfants l'examen d'admission dans la section de leur choix, si
elles ne veulent pas se soumettre au second.

La volonté démocratique d'offrir toutes les chances à tous
les élèves ayant fait des études normales et de procéder aux
sélections et orientations nécessaires après une étude suivie des
capacités, aptitudes et intérêts réels de chacun pendant
deux ans est indéniable. Mais la Réforme laisse subsister la
division entre Lycées classiques et modernes et Collèges d'enseignement général, nouveau nom des Cours complémentaires,
c'est-à-dire entre des enseignements qui ne peuvent être en
principe que longs et conduire au baccalauréat puis à des

études supérieures, et des enseignements en principe plus courts. La diversité des personnels enseignants et des conditions de travail, la tendance à persévérer dans l'établissement le premier choisi, créeront des obstacles aux changements d'orientation. Enfin l'âge choisi — 11 à 13 ans en moyenne — pour procéder à cette orientation, ne s'accorde qu'imparfaitement avec les données de la psychologie qui montrent l'instabilité des capacités et des intérêts à ce moment de l'évolution enfantine. Mais si la Réforme peut servir à montrer ce qui est faisable à ce niveau et ce qui ne l'est pas, donc ce qui devait être fait logiquement, elle n'aura pas été inutile. Et elle aura servi à rapprocher l'école moyenne de la famille par la création « d'unités d'observation » plus accessibles à l'enfant, ce qui n'est pas un mince résultat.

Après 13 ans, les élèves entreront soit dans les branches de l'enseignement général long donné dans les Lycées classiques, modernes et techniques, soit dans l'un des types d'enseignement professionnel de 3, 4 ou 5 ans de durée selon le niveau atteint, soit dans l'enseignement général court de 3 ans de durée aboutissant à un Brevet d'enseignement général. Les autres achèveront leurs études obligatoires dans le cycle terminal qui leur assure un complément de formation générale et une préparation pratique aux activités agricoles, artisanales, commerciales ou industrielles.

L'enseignement long classique, moderne ou technique, se donne dans des Lycées ; ainsi la même dignité est reconnue à l'enseignement technique qu'aux branches dites de culture générale. Et parmi les branches techniques figurent une section industrielle et une section économique et sociale conduisant toutes deux à un baccalauréat.

Quant à l'enseignement supérieur il a plus été touché par les réformes partielles qui ont été faites depuis 1945 que par l'ordonnance elle-même. Celle-ci se contente d'annoncer la création de « départements » qui grouperont les enseignements et les recherches relevant d'une même discipline et des disciplines voisines, remédiant ainsi à la vieille division d'origine médiévale des facultés et des disciplines.

Mais entre temps a été instaurée une année de propédeutique intermédiaire entre le lycée et les années de licence, et après la licence a été créé un 3e cycle d'études qui permet de préparer en deux ans un doctorat. Des collèges universitaires se créent et se développent en dehors des vieilles universités.

L'éducation des adultes, appelée souvent *éducation permanente* depuis le projet Billères, à la différence de ce qui se passe en Angleterre et dans d'autres pays, continue à se donner, en dehors de l'Université en général, et sans grand lien avec elle, soit dans des centres gérés ou reconnus par l'Etat, soit dans des œuvres privées, soit dans « divers établissements d'enseignement ». En dehors de quelques expériences de grand intérêt comme à Nancy, la promotion professionnelle et sociale n'atteint guère que des individus sous la forme d'une élévation personnelle de compétence. L'élévation de la masse vers la culture reste plutôt l'objet de mouvements de culture populaire, très divers dans leurs intentions comme dans leurs moyens.

La formation des maîtres. — L'après-guerre a vu deux réformes importantes dans la formation des maîtres : en principe les instituteurs doivent préparer le baccalauréat à l'Ecole Normale puis y recevoir la formation professionnelle en un ou deux ans, à moins qu'ils n'entrent à l'Ecole Normale après le baccalauréat. Malheureusement ce n'est là qu'un principe, puisque la croissance de la natalité d'après-guerre et le manque de maîtres, nous amènent à introduire dans nos classes primaires 4 ou 5 fois plus d'instituteurs non formés que de maîtres ayant passé par les Ecoles Normales. On s'efforce bien de remédier à cette grave imprévision par une formation postérieure, mais rien n'a pu nous contraindre à recourir comme en Angleterre aux moyens de formation relativement accélérée qui ont permis aux Anglais de recruter après la guerre 30 000 nouveaux maîtres hors de la filière normale. Et ce mode de recrutement a été assez satisfaisant puisqu'on conserve, à côté de la formation normale, celle des « mature students » qui se dirigent plus tard vers la carrière enseignante.

Les maîtres de l'enseignement secondaire français étaient, de tradition, exempts de toute formation pédagogique. En dehors d'un stage de 3 semaines pour les futurs agrégés, ils ne recevaient aucune préparation avant d'être lancés, après la licence, dans l'enseignement.

Sous l'impulsion du Directeur de l'enseignement du second degré, Gustave Monod, ce fut une sorte de révolution qui s'accomplit lorsqu'on décida que la licence ne suffisait plus pour entrer dans l'enseignement, mais qu'il faudrait y ajouter une année de formation professionnelle. Celle-ci est sanctionnée par un examen pratique ou Certificat d'aptitude à l'enseignement du second degré (C.A.P.E.S.). Mais alors que le stage avait consisté au début en 6 à 9 heures hebdomadaires d'enseignement sous la pleine responsabilité du stagiaire guidé par un Conseiller pédagogique, finalement la préparation professionnelle fut codifiée en 1951 sous la forme d'un concours théorique à l'entrée, puis d'un passage du futur maître chez 3 conseillers

pédagogiques avec période d'observation, d'intervention critique, puis d'activité proprement dite.

Enfin la création d'un concours de recrutement des candidats
à l'enseignement pour faire partie des Instituts de préparation
à l'enseignement du second degré intérieurs à l'Université
mais donnant droit à une bourse d'études, a permis de faciliter
grandement le recrutement et la préparation des maîtres.

Le perfectionnement des maîtres en exercice apparaît
de plus en plus comme une nécessité moderne pour la fonction
enseignante comme pour les autres : c'est pourquoi le dévelop-
qement des stages au Centre International d'Etudes pédagogiques de Sèvres, à l'Ecole Normale Supérieure de Saint-Cloud
ou en province, la transformation du Musée Pédagogique en
Institut Pédagogique national avec des services de documen-
tation, de moyens audio-visuels, de recherches, témoignent
de la force d'une évolution qui atteint un système éducatif
pourtant fondé sur des traditions napoléoniennes peu expérimentales et progressives.

L'expérience des Classes Nouvelles. — La France à l'esprit
cartésien et uniformisateur a même connu après 1945 une
expérience à la fois vaste et profonde : celle des Classes Nouvelles. Instituées dans plus de 90 Etablissements, Lycées ou
Collèges, classiques, modernes ou techniques et même dans
quelques Cours complémentaires, groupant 800 classes de la
6e à la 3e et des maîtres de tous les degrés, ces classes avaient
pour but en fait de préparer la Réforme de l'enseignement
prévue par le Plan Langevin. Elles devaient permettre d'expé-
rimenter à la fois les méthodes d'orientation et les méthodes
nouvelles d'enseignement qu'on désirait étendre au niveau
du second degré. S'adressant à des maîtres et à des parents
volontaires, respectant les programmes mais donnant en principe toute licence aux éducateurs pour disposer à l'intérieur
du 1er cycle les matières enseignées comme ils l'entendaient,
elles introduisirent des mesures qui seront finalement gardées,
mais sous des formes réduites, pour le cycle d'observation de
l'actuelle réforme : conseil de classe hebdomadaire, dossier
scolaire continu, travail dirigé permettant d'individualiser
l'enseignement et d'observer l'enfant dans des groupes moins
nombreux, méthodes actives, travail d'équipe. Centres d'intérêt sous des formes adaptées au niveau secondaire, discipline
active, formation du caractère, étude du milieu reliant l'éducation à la vie, etc.

Les Classes Nouvelles ont provoqué une véritable fermentation pédagogique dans un enseignement qui vivait plus dans la
conviction de détenir des solutions parfaitement valables aux

problèmes éducatifs que dans le sentiment d'une nécessaire adaptation de l'éducation à un monde en évolution accélérée.

En 1952 certaines de leurs mesures ont été étendues à toutes les classes de 6e et de 5e et, sous le nom de « classes pilotes », elles furent concentrées essentiellement dans les villes académiques pour servir à la formation des futurs maîtres et elles débordaient dans le 2e cycle. Néanmoins, ni la réforme des structures ni celle des programmes, ni celle de la formation des jeunes maîtres ne sont venues sanctionner leurs résultats : en cela elles sont restées limitées dans leur efficacité et dans leur action. Mais peut-être la création d'établissements secondaires à mi-temps groupant les activités proprement intellectuelles le matin, comme cela avait été prévu dans les circulaires qui ont présidé à leur création, la moindre spécialisation des maîtres de 6e-5e à laquelle il avait fallu renoncer parce qu'on continuait à former des maîtres très spécialisés et à faire passer l'enfant en 6e des mains du maître unique entre les mains de 7 à 8 professeurs, vont-elles faire revivre quelques-unes de leurs préoccupations premières ?

L'inévitable adaptation. — C'est ainsi que cahin-caha, plus ou moins vite selon qu'il s'agit de pays à fortes traditions ou de pays neufs partant de zéro, l'adaptation de l'éducation à l'évolution générale de l'humanité finit par se faire avec des retards étonnants et lourds de conséquences pour l'humanité. La nouveauté de nos jours est que le bouleversement n'a jamais été aussi vaste ni aussi profond : la révolution scientifique et technique dont nous n'avons vécu encore que les premières étapes a atteint non seulement notre savoir et notre pouvoir, nos manières de vivre, mais aussi notre pensée, nos méthodes d'action. La conception même de l'homme et de la société en est changée ; le temps des humanismes clos, limités à une aire de civilisation et du monde — au monde méditerranéen pour l'Occident — est aujourd'hui dépassé. Les échanges, les voyages, les communications, à l'ère interplanétaire, feront de la planète une réalité toujours plus unifiée et réduite. L'étude des langues vivantes, la compréhension internationale sont exigées non par un idéal plus ou moins gratuit, mais par la réalité même de la vie moderne.

En même temps l'éducation, de privilège réservé à quelques élus, devient la chose la plus banale et la plus nécessaire pour tous. L'enseignement obligatoire se généralise et s'étend de plus en plus à la surface de la terre. L'âge de la scolarité obligatoire est reporté toujours plus loin dans les pays évolués, mais l'enseignement secondaire jadis limité à quelques-uns, simple vestibule de l'Université, est en train de devenir aussi obliga-

toire et commun que l'enseignement élémentaire. L'U. R. S. S.
comme les U. S. A., de manières différentes, réalisent déjà cette
extension. Mais la Suède, la France, l'Angleterre sont aussi
sur ce chemin.

Est-ce à dire que l'on créera un enseignement absolument
unifié jusqu'à 17 ou 18 ans ou qu'on reviendra comme les
U. S. A. semblent le désirer, vers des différenciations plus tôt
marquées ? L'U. R. S. S. par un acte de foi, objectivement fondé,
en l'espèce humaine, s'efforce d'élever toute la masse de la
jeunesse vers ce niveau qui pourrait être celui de l'entrée à
l'Université ; elle investit l'individu de toutes manières, par
« les cercles d'intérêt » divers qui résolvent sans peine le problème de l'orientation en offrant aux jeunes gens une gamme
d'activités para-scolaires extrêmement riches, par les cours
du soir si l'adolescent n'a pu effectuer sa pleine scolarité, plus
tard par tous les compléments d'éducation offerts à l'adulte.
Les U. S. A., après avoir pratiqué une éducation secondaire
assez anarchique par les possibilités de choix offertes et assez
commune par le niveau, semblent revenir à des conceptions
plus différenciées. Certains ne pensent qu'à copier notre système traditionnel, sans se rendre compte que la vérité peut être
à mi-chemin, dans une unité poussée bien au delà de notre
classe de 6e, mais non pas retardée jusqu'à la fin du secondaire.

La plupart des pays, même à l'est de l'Europe (Pologne,
Tchécoslovaquie, Roumanie, Yougoslavie, etc.), semblent
adopter une voie moyenne qui garderait jusqu'à 14 ou 15 ans
une unité de formation plus ou moins complète et différencierait
ensuite les études. En fait, l'élévation du standard de vie et de
culture chez les parents, l'action du milieu et des moyens
d'action éducative sur la famille atténueront de plus en plus
les différences entre les individus, qui sont dues beaucoup plus
que nous ne croyons au milieu. L'amélioration même de la
pédagogie, l'introduction au sein de l'enseignement d'heures
réservées pour l'adaptation aux besoins individuels ou de
groupes fera le reste. Car ici individualisation ou différenciation
et unité se tiennent.

Nous trouvons en outre une grande raison d'espérer dans le
fait que la barrière qui a pendant des millénaires séparé l'éducation intellectuelle de l'éducation manuelle tend à se réduire
de plus en plus. Et c'est à la technique elle-même que nous le
devons ; car, après avoir augmenté les fonctions de manœuvre
et le travail à la chaîne, voici que l'automation les supprime.
La technique elle-même s'est en quelque sorte intellectualisée
et elle exige non seulement une solide formation scientifique
mais aussi une bonne culture générale et un sens humain aussi

nécessaires pour le technicien que pour les autres individus.

C'est ce que constatait à Sèvres en 1958 le Congrès européen
des Enseignements du second degré : constatant que la formation de l'homme complet exige de nos temps que soit formé
autant l'homme d'action que l'homme pensant, et que la formation intellectuelle soit équilibrée par une formation pratique
au contact du réel, il exprima le vœu qu'une initiation aux lois
générales de la technique figurât dans la culture générale pour
tous les individus au niveau du 2e degré.

Sur le plan des *méthodes* et des moyens, l'éducation aura
autant à changer que sur les autres. Nous ne pouvons qu'ef-
fleurer ici ce problème trop vaste (1). Il nous suffit de rappeler
que l'éducation aura à assimiler les apports tant de la physio-
logie, de la psychologie et de la sociologie de l'éducation, que des
sciences pédagogiques. Elle aura non seulement à refaire ses
programmes mais à repenser la répartition et l'organisation des
disciplines. C'est la seule manière pour elle, avec la coordina-
tion des enseignements, de remédier à la surcharge et à l'encyclopédisme qui ne permettent plus à aucune discipline, aujour-
d'hui, d'être pleinement formatrice. C'est la seule manière
aussi de permettre l'emploi des méthodes actives les plus
efficaces ainsi que des techniques modernes (moyens audio-
visuels, etc.).

Les méthodes nouvelles, apparues elles aussi en même
temps en des points différents du globe, ne sont pas non plus
un phénomène accidentel de notre époque. Sous les noms de
Mme Montessori ou de Decroly, de Dewey ou de Washburne,
de Kerchensteiner ou de Makarenko, de Ferrière, Cousinet,
Dottrens ou Freinet, sous la forme du travail individualisé
ou d'équipe, de self-government, des coopératives ou du
« collectif » scolaire, elles témoignent du même décalage cons-
taté entre les buts éducatifs, les aspirations, les possibilités,
les exigences modernes, et des pratiques qui sont souvent restées plus proches du régime du « chacun pour soi », du savoir
statique et dogmatiquement enseigné et de l'éducation autoritaire et aristocratique, que d'une éducation de la liberté,
démocratique, sociale, scientifique et fraternelle.

Certes bien des caricatures ont été présentées en leur nom.
Et le mouvement pendulaire qui fait passer d'une affirmation
à son contraire continue encore à exercer ses méfaits. Il est
certain qu'il faudra dépasser ces oppositions stériles et har-

(1) Voir notre « *Où en est la pédagogie ?* », Éd. Corréa, 1961.

moniser ces tendances nouvelles car l'évolution sur ce plan aussi est irréversible à longue échéance.

Il est non moins certain que cette adaptation de l'éducation à l'évolution de la vie, du savoir, des besoins, des biens culturels nouveaux, est une chose jamais achevée et qui doit se faire systématiquement, en particulier à une époque où le rythme des transformations se précipite comme de nos jours. Des institutions spéciales doivent être prévues pour cela, établissements d'expérience, Instituts pédagogiques et psychologiques de recherche, etc. C'est sans doute déjà le sens des *Ecoles expérimentales* qui se développent partout dans le monde. Mais il faut que ce qui se fait au hasard des inspirations et des capacités individuelles soit systématisé. Sans ce renouvellement perpétuel, l'éducation forcément se sclérose et, au lieu d'aider l'humanité à franchir les étapes de sa difficile ascension, elle l'encombre et alourdit sa marche. Elle fait de la tradition mal comprise une force morte au lieu de cette force vivante qui donnerait à l'homme les moyens de résoudre, non les problèmes du passé mais ceux de son temps, c'est-à-dire de l'avenir. Car l'enfant d'aujourd'hui c'est l'homme de demain, et ainsi l'éducation modèle par son intermédiaire le monde de demain. Tourner davantage ses regards vers l'avenir, en lui demandant de développer plus les forces de création et d'invention que l'instinct d'imitation, ce serait peut-être aider l'humanité à faire l'économie de nombre de ces maux, rivalités matérielles et spirituelles, crises, révolutions, guerres, auxquelles elle se condamne, faute de savoir se rénover volontairement dans la compréhension, la fraternité et la paix.

TABLE DES MATIÈRES

1961. — Imprimerie des Presses Universitaires de France. — Vendôme (France)

ÉDIT. No 26 212   IMPRIMÉ EN FRANCE   IMP. No 16 509